PRO-SUMER POWER!

프로슈머 파워

프로슈머 파워

빌퀘인 지음

프로슈머 파워!

초판 발행 | 2001년 5월 24일
2판 9쇄 발행 | 2010년 2월 3일
지은이 | 빌 퀘인
옮긴이 | (주)프로맥스 편집부
발행처 | 도서출판 나라
발행인 | 김명선
주소 | 서울시 송파구 송파동 43-1 3층
전화 | (02)415-3121
팩스 | (02)415-0096
등록번호 | 제11-227호
이메일 | narabooks@hanmail.net
ISBN | 89-89806-13-5
값 | 6,000원

PRO-SUMER POWER!

사랑하는 나의 아내 잔
그리고 두 딸 아만다와 캐슬린에게
이 책을 바친다.

■
머리말

저렴한 구매와 현명한 구매의 차이를 아는가!

세계적인 경제지로 그 권위를 인정받는 「포춘」지는 2000년대
를 '소비자의 시대'라고 부르고 있다. 왜냐하면 인터넷을 활용하
는 온라인 쇼핑의 등장과 대형 할인매장의 확대로 상품과 서비
스의 가격이 지속적으로 하락하면서 소비자들이 매년 수 백 억
달러를 절약할 수 있게 되었기 때문이다.

하지만 여기서 우리가 짚고 넘어가야 할 것이 있다.

그것은 바로 제품의 가격을 할인 받아 저렴하게 구입하는 것
이 진정한 의미에서의 '절약'인지 따져보아야 한다는 점이다. 혹
시 당신은 '할인가격'이라는 말에 속아 인터넷 기업과 일반기업
이 사상 최대의 이익을 내고 있는 동안 돈을 탕진하고 있는 것
은 아닐까?

예를 들어 당신이 정가가 100만원인 제품을 40%로 할인된 가
격에 구입하였다면, 당신은 40만원을 절약하게 된 셈일까?

결코 그렇지 않다.

당신은 다만 60만원을 소비했을 뿐이다.

그리고 당신이 60만원을 들여 소비재를 구입하게 되면 단순히 60만원을 소비하는 것에 그치는 것이 아니라, 동시에 그 60만원을 투자하여 얻을 수 있는 이익도 상실하게 된다.

결국 '소비'는 당신의 재산을 탕진하게 만드는 것이다.

특히 단순한 소비는 당신의 손익에 마이너스 요인으로 작용할 뿐이다.

현대를 살아가는 소비자의 대다수는 결코 경제적으로 안정을 누릴 수 없다. 왜냐하면 하루에도 몇 번씩 접하게 되는 광고공세에 영향을 받아 시간이 흐를수록 가치를 상실하게 되는 제품과 서비스를 구매하는데 길들여져 있기 때문이다.

즉, 오늘날의 소비자들은 '소비자적 사고'에 젖어 본질적으로 '돈을 소비하는 사람'의 역할을 담당하고 있는 것이다. 그리하여 결국에는 재산도 줄어들고 꿈마저 줄어들게 된다.

반면, 소비자에게 할인상품을 판매하는 온라인 쇼핑몰이나 대형할인 매장들은 그야말로 부를 창조하는 사람들로서 엄청난 순익을 기록하며 돈을 벌어들이고 있다.

바로 이것이 '생산자적 사고'로 그들은 '돈을 벌고 재산을 늘린다'는 생각으로 돈을 투자한다. 그리고 그것이야말로 오늘날 부를 창조하는 핵심이다.

중요한 것은 소비자도 생산자적 사고를 갖추면 돈을 쓰면서 돈을 벌 수 있다는 점이다. 이것은 기존의 패러다임을 탈피한 전혀 새로운 사고방식으로 '프로슈머적 사고'라는 새로운 개념

하에 보통 사람도 소비와 생산의 장점을 동시에 누릴 수 있는 이점을 제공한다. 즉, 이제는 소비를 하면서 부를 창출할 수 있게 된 것이다.

이것은 획기적인 개념으로써 프로슈머 사고의 본질은 '저렴한 구매'가 아닌 '현명한 구매'라고 할 수 있다. 특히 프로슈머는 사업자의 특성도 지니고 있기 때문에 더욱더 많은 것을 얻을 수 있다.

즉, 프로슈머는 사업자로서 자기 제품을 소비하는 방법을 배우고 다른 사람에게도 이를 배우도록 가르치는 것이다. 그 결과, 프로슈머는 돈을 쓰면서 부를 창출할 수 있다.

이러한 프로슈머의 컨셉은 사람들의 구매습관과 업무방식에 혁신적인 변화를 가져오고 있으며 당신 역시 단순한 소비자적 사고에서 벗어나 부를 창출하는 프로슈머적 사고로 바꾸면 인생까지 바꿀 수 있다.

당신의 꿈을 디스카운트하지 말라!

이 책의 처음 컨셉부터 완성까지 아낌없는 지원과 창의력, 인내심 그리고 관심을 보여준 분들께 감사 드린다. 특히 스티브 프라이스와 캐서린 글로버 그리고 버크 헤지스에게 커다란 감사를 드린다.

모두에게 감사 드린다.

빌 퀘인

■ 차례

프롤로그

열심히 일할수록 많이 번다는 생각은 어디까지나 착각에 지나지 않는다. 궁극적으로는 사고방식을 바꿔야만 수입을 증가시킬 수 있는 것이다. 단순히 행동을 바꾸는 것만으로는 큰 변화가 일어나지 않는다.

- 브라이언 코슬로우(『백만장자가 되는 365가지 방법』의 저자) -

생산과 소비를 동시에 하는 방법!!

미국 중서부의 작은 마을에서 잡화상을 운영하는 스탠은 사고 방식을 바꾼 결과, 자신의 사업을 위협하던 대형할인매장과의 경쟁에서 승리하게 되었다.

그러면 스탠이 어떻게 생각을 바꿨는지 알아보기로 하자.

스탠은 작은 마을의 중심가에서 '스탠 스토어(Stan's store)'라는 잡화상을 운영하고 있었는데, 부지런하고 성실한 그는 마을 사람들의 사랑과 존경을 받고 있었기 때문에 가게는 성공적으로 운영되고 있었다.

그러던 어느 날, 스탠의 가게를 사이에 두고 양쪽으로 건물이 올라가기 시작하였다. 한동안 건물을 짓느라 마을을 시끄럽게 하던 공사가 마무리되고 나자, 스탠의 가게 양쪽에는 할인매장이 하나씩 들어서게 되었다.

그런데 문제는 새로 개점한 그 할인매장들이 외관은 물론이고 내부까지 넓찍한 통로와 세련된 디스플레이를 자랑하고 있었다는 점이다. 더불어 수많은 종류의 화려한 제품들을 스탠 스토어보다 더 저렴한 가격에 팔고 있었다.

그리고 스탠 스토어의 왼쪽에 들어선 할인매장은 문을 열자마자 입구 위에 다음과 같은 문구가 적힌 거대한 네온사인을 달아놓고 고객들의 시선을 집중시키고 있었다.

"자이언트 체인(GIANT CHAIN)"
할인매장!
최저가 보장!

그러자 그 다음 날 스탠 스토어의 오른쪽에 들어선 할인매장은 마치 경쟁이라도 하듯 더욱더 번쩍이는 네온사인을 정문 위에 내걸었다.

"바이 인 벌크(BUY-IN-BULK)"
슈퍼 할인매장!
시내 최저가 보장!

그러한 광고공세와 물량공세 더불어 가격공세에 힘입어 새로 문을 연 할인매장의 물건값이 싸다는 소문은 순식간에 마을로 퍼져나갔다.

그리고 얼마 지나지 않아 스탠의 가게는 문을 닫아야 할 처지에 놓이고 말았다. 스탠은 오랜 고객과 친구들이 싼값의 제품을 찾아 할인매장으로 향하는 모습을 무기력하게 바라보는 수밖에 없었던 것이다.

그렇게 고객들이 중성세제 한 상자에 1달러를 절약하거나 새로운 VCR을 구입하는데 10달러를 절약하기 위해 양쪽 할인매장을 비교하며 왔다갔다하는 사이에 스탠은 고작 쓴웃음이나 짓고 있었다.

스탠은 뭔가 대책을 세워야만 했다.

그렇게 앉아 있다가는 그대로 문을 닫아야할 지도 모를 일이었다. 물론 가장 쉬운 해결책은 가격을 내려 할인매장과 경쟁하는 것이었지만, 소규모 점포가 대형매장을 상대로 하여 제 살을 깎아 먹으며 가격경쟁을 벌이는 것은 그 결과가 뻔한 일이었다.

그리고 스탠의 작은 가게가 전국에 수 천 여 개의 점포를 소유하고 있는 할인매장 만큼 싼 가격에 제품을 공급받을 수도 없는 노릇이었다.

'분명히 방법이 있을 거야.'

스탠은 이를 악물고 방법을 연구하기 시작했다.

프로슈머의 탄생

그러던 어느 날, 예전의 고객 한 명이 스탠의 가게로 들어와 두리번거리더니 뭔가 잘못되었다는 듯한 표정을 지으며 이렇게 중얼거렸다.

"아니, 내가 왜 스탠의 가게로 들어왔지?"

그리고 그 고객은 재빨리 몸을 돌려 가게를 나가고 말았다. 너무 황당하고 어이없는 순간이었지만, 그 와중에도 스탠은 고객의 한 마디가 머리 속에서 빙빙 맴을 돌았다.

　"스탠의 가게? 그래… 스탠의 가게!"

　스탠은 계속 그 말을 되뇌고 있었다.

　'사람들은 여기가 나의 가게라고 인식하고 있어. 그들은 이 가게를 자신의 가게라고 생각지 않는 거야. 어디까지나 나의 가게라고 생각할 뿐이야. 그런데 만약 이 가게가 단순히 나 개인뿐만 아니라 모든 고객의 것이라면 어떨까?

　고객들이 이 가게에서 제품을 구입하면서 동시에 돈도 벌고 자신의 소유지분을 늘릴 수 있다면 어떻게 될까? 그러면 고객들은 아마도 이 가게를 나의 가게라고 하지 않고 자신의 가게라고 생각할 거야. 그렇다면 더 이상 다른 가게로 가서 제품을 구입하지 않을 것이고 자신의 가게에서 자신의 제품을 구입하려고 할 거야.'

　절박한 상황에서는 절박한 대응만이 해결책이 되는 법이다.

　이 혁신적인 발상을 하게 된 스탠은 가게 직원과 함께 고객자신이 가게의 주인이라 생각하고 행동할 수 있는 사업을 구상해 보았다. 그리고 혁신적이고 새로운 사업모델을 구축하기 위해 다양한 아이디어를 생각해 냈다.

　첫째, 고객들을 동업 파트너로 생각한다.

　둘째, 동업 파트너가 더욱더 많은 물건을 구입하면 할수록 더 좋은 할인혜택을 준다.

셋째, 모든 구매물품에 캐쉬백 시스템을 도입한다.

넷째, 친척이나 친구에게 가게를 추천해주는 고객에게는 추천한 친구의 구매액에 비례하여 커미션을 준다.

다섯째, 비싼 광고비용을 들이지 말고 우리 가게에 만족한 고객이 다른 고객에게 선전하도록 하는 구전광고를 활용한다.

여섯째, 광고비용을 절약하여 고객이 우리 가게로 오도록 한 동업 파트너에게 보너스를 지급한다.

가게 직원과 머리를 맞대고 다양한 아이디어를 수립한 스탠은 일주일이라는 시간을 투자하여 가게를 말끔하게 단장하였다. 이제 그 가게는 더 이상 스탠의 가게가 아니었다. 왜냐하면 이제부터 모든 이익과 자산은 수익발생의 기준에 비례하여 모든 동업파트너에게 분배될 것이기 때문이다.

그리하여 스탠은 낡은 간판을 떼어내고 그 위에 새로운 간판을 내걸었다.

Your Store(당신의 가게)

당신의 물건을 사며 보상을 받는 당신의 가게!!

대성공!

스탠의 혁신적이고도 과감한 사업모델은 상상을 초월하는 대성공을 거두었다. 많은 사람들이 동업파트너로서 참여하였고 수개월만에 사업은 폭발적으로 성장하였던 것이다.

그리고 유어 스토어의 간판이 걸린 지 25년이 지나자, 중서부의 작은 마을에서 출발한 잡화점은 전세계에 수 백 개의 초대형 물류창고를 소유한 거대기업으로 성장하게 되었다.

더불어 그 기간 동안 수 십 만에 달하는 스탠의 고객 겸 파트너들은 친지나 친구들에게 유어 스토어를 추천함으로써 매달 수백 달러에 달하는 부수입을 얻게 되었다. 그리고 유어 스토어의 고객 중에서 보다 적극적인 수 천 명의 사람들은 아예 본업에서 은퇴를 하고 본격적으로 구전광고 사업에 뛰어들어 많은 수입을 얻게 되었다.

또한 그 사업의 가능성에 대해 일찌감치 눈을 뜬 수 백 명의 동업 파트너들은 유어 스토어의 소비자와 파트너로 구성된 거대한 네트워크를 구축하면서 백만장자가 되었다.

물론 혁신적인 스탠의 사업모델을 처음으로 접하게 된 대부분의 사람들은 그 사업이 성공할 리가 없다고 부정적인 반응을 보였다. 그들은 '너무나 엄청난 변화이다' 혹은 '기존의 형태와 너무 다르다'라는 이유만으로 새로운 사업모델을 왜곡된 시선으로 바라보았던 것이다.

하지만 스탠은 굽히지 않았다.

그리고 자유경제시스템 하에서 자신의 꿈을 실현하기 위해 그 무엇보다 필요한 것이 '돈'이라는 것을 잘 알고 있던 그는 사람들에게 '자신의 꿈을 실현할 기반'을 마련해 주겠다는 꿈을 추구해나갔다.

다행히 스탠과 수 천 명의 동업 파트너들은 비관론자들의 비난과 우려를 물리치고 꿈을 실현하였으며 수 백 억 달러의 자산 가치를 보유하여 25년만에 「포춘」지 선정 500대 기업의 하나로 발돋움하게 되었다.

오늘날 스탠은 은퇴를 하여 아름다운 플로리다 주에서 충만한 노년의 삶을 즐기고 있으며, 그의 네 자녀가 「포춘」지 선정 500대 기업이자 세계 곳곳에 백만 고객 겸 파트너를 보유한 유어스토어 인터내셔널 주식회사를 운영하고 있다.

그리고 이들은 또 다시 획기적인 사업의 전환점을 맞이하여 밝은 미래를 향해 전진하고 있는 중이다. 스탠의 자녀들은 이 회사를 새로운 차원의 가상쇼핑몰 즉 유어 스토어닷컴으로 전환시킨 것이다.

프로슈머 혁명

사실, 제품을 보다 싼값으로 구입하기 위해 교통지옥을 뚫고 할인매장으로 달려가 제품을 할인 구매한 후 돈을 절약했다고 생각하는 사람들이 얼마나 많은가!

만약 당신도 그런 생각을 했었다면, 스탠과 대형할인업체의 이야기에서 중요한 교훈을 하나 얻어야 한다.

그 교훈이라고 하는 것은 당신이 그야말로 폭탄세일을 하는 가게에서 제품을 구입하더라도 돈을 절약하지 못한다는 점이다. 물론 정상가로 사는 것보다 할인가로 제품을 구입하면 지출이 줄어드는 것은 사실이다. 하지만 그렇다고 해도 결국 돈이 지출된다는 것은 변함 없는 사실이고, 돈을 쓰면 쓸수록 은행의 예금 잔고는 줄어들게 된다.

그렇다면 뭔가 대책을 세워야 하는데!

계속해서 돈이 줄어드는 소비를 한다면, 아무리 열심히 일을 해도 풍요를 누리기가 어렵다.

그러나 이 시대를 살아가는 당신은 분명히 행운아이다. 왜냐하면 그러한 악순환에서 벗어날 수 있는 방법이 있기 때문이다. 나는 이 방법을 '프로슈머'라고 부른다.

프로슈머 활동은 생산과 소비를 동시에 할 수 있는 증명된 방법이다. 도무지 믿어지지 않는가? 다시 한번 강조하건대 **프로슈머 활동은 생산과 소비를 동시에 할 수 있다.**

다시 말해 프로슈머들은 저렴한 구매가 아니라 현명한 구매를 실천하는 사람들이며 또한 그 현명한 구매를 주변의 사람들에게 전달하는 사람들이다. 따라서 이들은 말 그대로 돈을 쓰면서 동시에 돈을 벌 수 있다.

그리고 당신 역시 지금까지 지녀왔던 소비자적 사고에서 프로슈머적 사고로 변화한다면 놀라운 현상을 경험하게 될 것이다. 왜냐하면 당신의 예금 잔고가 줄어들기는커녕 오히려 늘어날 것이기 때문이다.

바로 이러한 점 때문에 나는 '더 많이 원한다면 사업자적인 관점에서 생각하라'고 말한다. 사업자는 부를 생산하기 위해 사업을 하는 것이지 소비를 하기 위해 사업을 하는 것이 아니다. 이러한 사고가 지닌 힘을 이해한다면 당신은 당신 자신과 가족을 위해 더욱더 많은 부를 창출할 수 있는 첫 걸음을 내딛은 것이라 할 수 있다.

프로슈머적 사고는 스탠의 삶을 더욱더 풍요롭게 만들었고 그의 꿈을 실현시켜 주었다.

그리고 당신 역시 프로슈머적 사고를 지닐 수 있다.

제1장 왜 프로슈머 혁명에 동참해야 하는가?

처음으로 전기를 발견한 사람은 벤저민 프랭클린이지만, 전기를 이용하여 돈을 번 사람은 미터기를 처음으로 발명한 사람이었다.

- 얼 윌슨(칼럼니스트) -

생산자(producer)와 소비자(consumer)라는 두 단어가 결합하여 만들어진 '프로슈머(prosumer)'는 '생산과 동시에 소비를 하는 사람'을 말한다.

다시 말해 '돈을 버는 생산자'와 '돈을 쓰는 소비자'라는 개념이 결합하여 '돈을 쓰면서 동시에 돈을 버는' 프로슈머가 탄생한 것이다. 그리고 무엇보다 중요한 사실은 오래 전에 등장한 '프로슈머'라는 개념이 그 실효성과 가능성에 있어서 이미 증명된 방법이라는 점이다.

따라서 그 개념을 이해하고 주변에 그것을 전달함으로써 커다란 부를 이룩하는 사람들의 숫자는 점점 증가하고 있다.

당신은 프로슈머이다

당신이 살고 있는 그 집이 바로 프로슈머 활동의 가장 전형적인 사례이다. 물론 집을 소유한다는 것은 자동차나 소파를 구입하는 것처럼 상품을 구매하는 행위이지만, 자동차나 소파와 달리 잘 관리된 부동산은 시간이 지남에 따라 그 가치가 상승하게 된다. 더구나 매달 융자받은 대출금을 갚아나가면 부동산에 대한 실질 소유지분은 늘어나게 된다.

결국, 점점 시간이 지남에 따라 부동산의 가치 상승과 대출금의 상환으로 소유자의 재산은 불어나게 되는 것이다.

바로 이러한 점 때문에 북미에서도 부의 최고 원천은 '주택'이라고 하며 실제로 미국 정부의 한 통계에 따르면 미국인들이 보유한 자산의 67%가 주택에 묶여 있다고 한다. 그러니 부동산을 소유한다는 것은 얼마나 뛰어난 투자인가!

부동산을 소유하는 것은 프로슈머 활동의 전형적인 사례로 부동산을 매입하면 돈을 쓰는 동시에 돈을 벌게 된다. 부동산은 장기적으로 볼 때, 자기 자신과 가족을 위해 더욱더 많은 부를 창출해주는 것이다. 그렇기 때문에 '부동산 투자'라는 말은 해도 '부동산 지출'이라는 말은 하지 않는다.

실제로, 우리가 부동산을 구입할 때 소비하는 금액은 우리의 자산을 늘려준다. 이 얼마나 매력적인 일인가!

그리고 이것은 모든 사람에게 이익을 남겨주는 장사이다. 왜냐하면 부동산 소유주는 대출금을 갚을 때마다 실질 소유자산이 늘어나는 셈이고 돈을 융자해준 은행은 대출이자를 받기 때문이다.

결국 부동산 소유주는 돈을 쓰는 동시에 돈을 벌기 때문에 프로슈머 활동의 전형적인 사례라고 할 수 있다.

프로슈머적 구매습관

그렇다고 프로슈머 활동이 부동산 소유에 국한되는 것은 아니다. 부동산 투자처럼 부를 창출하는 프로슈머 활동은 소유권, 가치 상승, 세금 우대 등으로 어떠한 제품이나 서비스를 구매하더라도 자기 자신과 가족을 위해 부를 창출하도록 하는 것이다.

여기서 문제는 세입자처럼 단기적 관점으로 세상을 바라보지 말고 소유자의 관점에서 장기적으로 바라보아야 한다는 점이다. 장기적으로 보아 한 달에 몇 십 만원을 더 지출하더라도 융자를 받아 자산을 늘리는 것이, 몇 십 만원을 절약하기 위해 아무 것도 남지 않는 삶을 사는 것보다 더 나은 것이다.

다시 말해 프로슈머가 되려면 값싸게 구입하는 것보다 현명하게 구입해야 하고 또한 단기적인 사고보다 장기적인 사고를 해야 하며 손님이 아니라 주인처럼 생각해야 한다.

프로슈머의 기본원칙을 이해하는 사람은 누구나 일상적인 구매습관을 바꿈으로써 부자가 될 수 있다. 그리고 그 원칙이라고 하는 것은 고학력자만이 이해할 수 있을 정도로 어려운 것도 아니다. 오히려 너무나 간단하고 기본적이기 때문에 초등학생도 금방 이해할 수 있을 정도이다.

그런데도 실제로는 많은 사람들이 프로슈머의 힘을 인정하지 않고 있다. 특히 내가 의아하게 생각하는 것은 "내 집을 구입할 돈이 있는데 뭐 하러 월세를 내고 살아?"라고 큰소리를 치며 자기 집을 소유하고 있는 사람들이다. 그들은 프로슈머 활동의 전형적 사례라 할 수 있는 부동산을 소유하고 있으면서도, 그러한 투자의 개념을 다른 소비생활에도 적용해 보라고 하면 손을 내저으며 고개를 흔드는 것이다. 당신은 이해가 되는가?

유명한 단편소설 『행복한 왕자』의 저자 오스카 와일드는 언젠가 이렇게 말했다.

"사실로써 사람을 혼란스럽게 만들지 말라."

그리고 내가 여기서 말하고 있는 '사실'은 '프로슈머야말로 부동산 소유에 버금가는 현명한 선택'이라는 점이다. 물론 그 사실을 알게 되어 혼란을 느낄 수도 있다. 하지만 진실은 언제나 통하는 법이고 지금은 '프로슈머가 현명한 선택'이라는 것이 진실이다. 이 단순한 사실을 받아들이지 못하는 사람이 있다면 그것은 그들이 손해를 자초한 것일 뿐이다. 결코 나의 손해가 아닌 것이다.

부자가 더욱더 부자가 되는 이유

프로슈머의 힘을 그 누구보다 잘 이해하고 있는 사람들은 바로 '부자들'이다.

『이웃의 백만장자(The Millionaire Next Door)』라는 베스트셀러의 저자는 대부분의 부자들이 부를 축적하기 위해 활용하는 중요한 전략을 설명하고 있는데, 그러한 전략은 매우 쉽고 그 효과가 뛰어나기 때문에 그 누구라도 실천에 옮겨 부자가 될 수 있다.

"부자는 투자(돈이 늘어남)와 지출(돈이 사라짐)의 차이를 분명히 알고 있다. 부자는 부동산이나 우량주, 보석, 예술품 등 시간이 지날수록 점점 더 그 가치가 상승하는 자산은 구입하지만, 비싼 가구나 가전제품처럼 시간이 지날수록 그 가치를 상실하게 되는 부채는 구입하지 않는다."

지극히 타당한 이야기라고 생각되지 않는가? 그러면 『이웃의 백만장자』에 나오는 이야기를 좀더 살펴보기로 하자.

부자는 자신이 일하는 기업의 소유주이거나 아니면 그 지분을 소유한 주주이다. 부자는 자신의 집을 소유하고 있다. 부자는 장기적인 재정적 안정을 위해 단기적인 만족은 뒤로 미룬다.

결과적으로 부자는 돈을 쓰는 동시에 돈을 벌 수 있는 기회를 찾는 것이다. 따라서 부자는 프로슈머이다. 그리고 당신 역시 그렇게 행동한다면 프로슈머가 될 수 있다.

당신은 언제나 인생을 바꿀 수 있다

세계적 대부호인 J. 폴 게티는 이렇게 말했다.

"부자가 되고 싶다면 돈을 많이 버는 사람을 찾아 그 사람이 하는 대로 하면 된다."

앞서 지적한대로 부자들은 프로슈머이다.

부자들이 다른 사람들보다 더욱더 많은 것을 소유한 이유는 그들이 사업가적 관점에서 생각하기 때문이다. 어디까지나 이들은 고객이 아니라 주인처럼 생각하고 행동한다. 또한 부자들은 단순히 소비만 하지 않고 프로슈머로서 실천한다.

이것은 매우 간단한 원리이다. 따라서 당신이 부자처럼 삶의 풍요를 누리고 싶다면 부자들이 하는 대로 행동해야 한다.

당신은 다른 사람들의 부러움을 받을 만큼 부자인가?

아니면, 고작 현상유지를 위해 발버둥을 치고 있는가?

사람들은 보통 열심히 일하면 밝은 미래를 보장받을 수 있을 것이라고 생각한다. 그래서 죽어라고 일한다. 실제로 UN의 연구 결과에 따르면 오늘날의 미국인들은 일벌레로 유명한 일본인들보다 오히려 더 열심히 일한다고 한다.

하지만 유감스럽게도 열심히 더 오래 일한다고 하여 더 많이 벌 수 있는 것은 아닌 모양이다. 「USA 투데이」지의 최근 조사에 따르면 미국인의 50%에 달하는 사람들이 2,500달러 미만의 저축액을 갖고 있으며, '지금 당장 실직할 경우 갖고 있는 돈으로 얼마나 버틸 수 있느냐?'는 질문에 응답자의 54%가 '3개월 이하'라는 답변을 했다고 한다.

그렇다고 현실을 비관적으로 생각할 필요는 없다.

이 시대를 살아가는 당신은 다행스럽게도 당신의 인생을 바꿀 수 있는 전략을 언제든 수용할 수 있기 때문이다. 당신의 선택이 언제가 되었든 '늦었다'는 것은 없다.

이 말을 하고 나니 빌 퀘인의 '서커스 가족'이라는 만화가 생각난다.

'할머니의 충고'라는 타이틀 아래 전개되는 만화에는 손자들이 눈을 반짝이며 할머니의 말씀을 듣고 있다. 그때, 할머니가 한 말은 우리 모두가 영원히 기억해야 할 것이다.

"인생의 길에서 방향을 잘못 잡게 되면, 천당으로 가는 길에는 항상 유턴이 허용된다는 사실을 기억하려무나."

이 말은 삶의 진리이다.

우리의 행동은 아무리 늦게 바뀌어도 결코 늦지 않다. 그리고 할머니의 그 충고는 '영혼을 구원'하는 것뿐만 아니라, '재정적 성공'에도 적용된다. 재정적 자유의 길에는 항상 유턴이 허용되는 것이다.

당신의 길은?

만약 당신이 지금까지 프로슈머처럼 생각하지 않고 단순한 소비자적 사고에 젖어 재정적 성공의 길에 들어서지 못했다면 지금 유턴을 해도 늦지 않았다. 당신이 부자가 되기 위해 지금까지 노력해 온 그 길이 성공과 반대방향이었다면, 그것은 아마도 당신이 뭔가 잘못 생각하고 있었기 때문일 것이다.

어쩌면 당신은 그저 남들이 하는 대로 별다른 생각 없이 따라갔을지도 모른다. 즉, 세상의 보편적인 흐름에 맞춰 자신에게 맞지 않는 길임에도 불구하고 단순한 소비자로써 살아온 것이다.

그리고 당신이 그 사실을 깨달았음에도 불구하고 여전히 그 길을 가게 된다면, 당신이 얻을 수 있는 이득은 없다. 다만, 당신이 이용하는 가게의 주인만 이득을 얻을 뿐이다.

그렇기 때문에 더욱더 많은 돈을 벌고 싶다면 스스로를 가게 주인처럼 생각해야 하는 것이다.

세상에 가게 주인만 물건을 팔고 돈을 벌라는 법이 어디 있는가? 가게의 주인이 그렇게 돈을 벌 수 있다면 당신 역시 할 수 있다. 단지 프로슈머가 어떠한 원리로 작용하는지 이해할 수만 있다면 얼마든지 그럴 수 있는 것이다.

소비자적 사고에서 프로슈머의 사고로 유턴하는 첫 걸음은 마음을 열고 새로운 개념을 받아들이는 일이다. 누군가가 말했듯이 사람의 마음이란 낙하산과 같아서 펼쳐지지 않으면 무용지물이 되고 마는 것이다.

당신의 마음을 열고 기존의 소비자적 사고를 새로운 프로슈머적 사고로 바꿔보자. 그렇게 생각을 바꾼 당신은 재정적 성공을 향해 유턴한 것이다. 그리고 그 방향은 바로 부자들이 가는 방향과 같은 방향이다. 물론 그 방향으로 향하는 사람이 많지 않을지도 모른다.

하지만 나는 그 방향으로 가고 있다.

당신은 어떠한가?

제2장
생각을 바꾸면 밝은 미래가 보인다

 자기의 생각을 바꾸고 오류를 바로잡아 주는 자를 따르는 것은 자기의
오류를 고집하는 것보다 훨씬 자유에 가까운 것임을 기억하라.

- 마르쿠스 아우렐리우스 -

1990년대 중반, 도산 직전의 위기에 몰린 애플 컴퓨터 사의
스티븐 잡스 사장은 1990년대 말 iMac라는 혁신적인 컴퓨터를
내놓고 다시 부활하였다.

그 당시 애플 컴퓨터 사는 새로운 제품에 걸맞게 대대적인 광
고공세를 펼쳤는데, 그 광고는 제품만큼이나 참신하고 도발적이
었다. 알버트 아인슈타인, 마하트마 간디, 최초로 대서양을 횡단
한 여류 비행사 아멜리아 이어하트를 비롯하여 금세기 최고의
지성인과 개척자들을 주인공으로 하여 제작된 그 광고에는 각각
의 사진 밑에 인상적인 한 마디를 곁들였던 것이다.

"생각을 바꾸자!(Think Different!)"

생각을 바꿔야 하는 이유

물론 '생각을 바꾸자'는 말이 항상 위대한 충고로 활용되는 것
은 아니다. 갈릴레오가 살던 시대를 생각해 보라. 그는 생각을

바꿨다는 이유 하나만으로 화형을 당할 뻔 했잖은가!

하지만 오늘을 살아가는 현대인들이 기존의 전통에 도전하고 생각을 변화시키는 것은 매우 중요한 일이다. 왜냐하면 전통에 의존하는 것은 어디까지나 전통적인 결과만 불러올 뿐이기 때문이다. 실제로 전통적인 직업을 통해 먹고사는 문제를 해결하는 미국의 전형적인 노동자 중에서 50% 정도가 25,000달러 미만의 연봉에 월 2,000달러 이상의 신용카드 빚을 안고 산다는 것을 감안하면 사람들이 그다지 전통을 환영하지는 않을 것이라 생각된다.

역사적으로 볼 때, 위대한 사상가들은 생각을 바꾼 사람들이었다. 그들은 일반적인 사람들처럼 보편적으로 생각하고 행동하는 오류를 범하지 않았던 것이다.

한 마디로 말해 이들은 길들여지지 않은 망아지와 같았다. 그래서 그들은 집단적이고 획일적이며 보편적인 사고에서 탈피했던 것이다. 그리하여 그 망아지들은 새로운 길을 찾아내고 신천지의 문을 열어 놓았다.

헨리 포드, 월마트의 창립자인 샘 월튼 그리고 아마존 닷컴의 창립자 제프 베조스나 또 다른 인터넷 백만장자들이 바로 망아지들이다. 당신도 생각을 바꾸면 그들처럼 보상을 받을 수 있다.

만약 생각을 바꾸지 않는다면?

그렇다면 생각을 바꾸지 않고 현재의 생각을 고수하는 절대다수의 사람들은 어떻게 될까? 그들은 어떻게 부를 창출하고 있을까?

부의 창출에 대해 전통적인 사고방식을 고집하는 사람들은 대부분 직장을 선택한다. 얼마나 많은 사람들이 부를 창출하기 위해 그 쉽고 간단한 방법을 택하고 있는가?

그리고 그들은 돈을 더 많이 벌기 위한 수단으로 '승진'의 길을 찾는다. 혹은 좀더 대우가 좋은 직장을 찾거나 야근을 하며 또는 부업으로 부수입을 얻고자 한다. 즉, 이들은 직업을 바꿀지는 몰라도 생각은 바꾸지 않는 것이다. 바로 이러한 고집 때문에 일하는 시간은 길어져도 얻는 것은 늘어나지 않게 된다.

쇼핑을 할 때에도 사람들은 기존의 사고방식을 고수한다. 우리는 보통 사고 싶은 제품을 점찍어 두었다가 세일이나 할인기간에 제품을 구입하는 방식으로 '절약'을 배워왔다. 미국에서는 이제 할인매장에서 물건을 구입하는 것을 당연하게 생각하며 쇼핑객들은 현명한 구매보다 더 싼 구매로 돈을 '절약'하기 위해 혈안이 되어 있다.

하지만 월마트나 까르푸, 코스트코 등 끊임없이 성장하고 있는 대형할인매장을 생각해 보라. 소비자들은 할인매장 계산대 앞에서 길게 줄을 서서 기다리거나 인터넷을 열심히 서핑하며 한 푼이라도 더 싸게 제품을 구입하여 돈을 '절약'하려고 한다.

그러나 이것은 스스로를 기만하는 행위이다.

아무리 절약을 하더라도 '소비'를 통해 '절약'을 한다는 것은 있을 수 없다. 아무리 낮은 가격에 제품을 구입하더라도 결국은 당신의 주머니에서 돈이 나가는 것이지 결코 들어오는 것은 아니기 때문이다.

할인제품이 곧 절약은 아니다

기존의 전통적인 생각을 고수하면서 물건을 싸게 구입하는 것으로 돈을 '절약'하려 하거나 직장에 나가는 것으로 부를 창출하려는 사람은 어두운 밤길에 자동차 열쇠를 잃어버린 사람과 같다.

열쇠를 잃어버린 사람은 가로등 불빛 아래나 조금이라도 빛이 보이는 장소를 골라가며 떨어뜨린 열쇠를 찾아 헤맨다. 그러면 지나가던 사람들이 그를 도와주려 멈춰서고 몇 몇 사람들이 그가 열쇠를 찾고 있는 장소를 샅샅이 뒤지지만 그래도 열쇠는 보이지 않는다.

"확실히 여기에서 잃어버렸나요?"

누군가가 이렇게 묻는다.

"아뇨, 사실은 저쪽 어두운 골목에서 떨어뜨렸는데, 여기가 훨씬 밝아서 이쪽을 뒤져보는 것입니다."

다른 사람들도 마찬가지이다.

그들은 부자가 되는 방법이 잘 보이는 곳, 다시 말해 기존의 직장이나 할인매장에서 '부자가 되는 해법'을 찾으려 하는 것이다.

착각하지 말라!

만약 당신이 직장에서 더욱더 열심히 일하거나 혹은 보다 싼

값으로 제품을 구입하는 것으로부터 부를 축적할 수 있을 것이라 생각하는 것은 번지수를 잘못 짚은 것이다.

물론 '직업을 갖는 일' 그 자체에 문제가 있다는 것은 아니다. 나 자신도 대학교수라는 직업을 갖고 있고 그 일을 매우 사랑한다. 하지만 재정적 자유를 위해 전적으로 그 일에만 매달리는 것은 아니다. 그리고 할인구매로 돈을 '절약'하려 하지도 않는다.

사실, 할인매장이 등장하게 된 이유는 소비자들의 돈을 '절약' 해주기 위해서가 아니다. 할인매장은 가게의 소유주가 소비자들의 돈을 긁어모아 부를 이룩하기 위해 생긴 것이다.

그렇다고 오해하지 말라.

당신이 똑같은 제품을 할인가로 구입할 수 있는데도 정상가로 구입하라고 하는 말은 아니다. '할인'이라고 하는 것은 소비자들에게 확실히 좋은 일이다. 그리고 돈방석을 깔고 앉아 있는 사람일지라도 제품을 싸게 살 수 있는 것을 좋아한다.

그러나 한 가지 명심할 것이 있다. 그것은 '할인가로 구입하는 것'이 곧 '절약'은 아니라는 점이다. 저렴한 구매를 통해 자산을 늘리려 하는 사람은 단지 불빛이 있다는 이유만으로 엉뚱한 장소에서 열심히 열쇠를 찾는 사람과 다를 바 없다.

이들은 자신의 관심이 잘못된 전제에 집중되어 있음에도 불구하고 잘못된 전제에 따라 행동하고 있다. 또한 어긋난 초점에서 벗어나지 못하고 있다. 즉, 그들은 소득이 아닌 지출에 초점을 맞추고 있는 것이다.

창의적인 문제해결 방식

사람들이 엉뚱한 것에 초점을 맞추는 일은 흔히 일어난다. 그렇다면 당신의 초점은 올바른지 다음과 같은 실험을 통해 알아보기로 하자.

◆ **문제** : 연필을 사용하여 미로의 출발지점에서 종료지점까지 가장 빨리 이동하는 길을 그린다. 그리고 그 시간이 얼마나 걸리는지 재어본다.

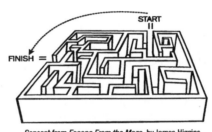

Concept from *Escape From the Maze*, by James Higgins

당신은 이 문제를 해결하는데 얼마나 걸렸는가?

아마도 당신은 다른 사람들과 마찬가지로 30초에서 2분 정도가 걸렸을 것이다. 그런데 어떤 사람은 이 문제를 단 1초만에 해결하였다.

놀랍지 않은가!

그렇다면 도대체 어떤 방법으로 그토록 쉽게 해결했을까?

그들은 미로를 돌아가는 곡선을 그리거나 아예 미로를 가로지르는 직선 하나로 출발지점과 종료지점을 연결했던 것이다. 물론 당신은 이렇게 소리칠 지도 모른다.

"그것은 규칙 위반이야!"

그렇다면 그 문제의 지시사항을 다시 한번 살펴 보라. 당신이 미로를 따라서 이동해야 한다는 말은커녕 미로를 통과해야 한다는 말도 없다.

하지만 전통적인 사고방식에 빠져 있는 사람들은 힘들게 미로를 따라 구불구불 선을 그린다. 그들은 과거에 미로 찾기를 해본 경험이 있으며 그렇기 때문에 이번에도 역시 미로를 따라 길을 찾아야 한다는 고정관념 하에서 그렇게 하는 것이다. 이처럼 전통적인 사고방식에 젖어 있는 사람들은 잘못된 목표에 집중함으로써 불필요한 시간과 노력을 들여 문제를 해결하려 한다.

즉, 이들은 초점을 이동방향이 아닌 미로의 복도에 더 집중하고 있는 것이다.

그렇게 전통적인 사고방식에 얽매인 사람들은 엉뚱한 목표에 집중하는 오류를 범해 출발지점에서 종료지점까지 가장 빨리 갈 수 있는 길을 놓치게 된다.

하지만 전통적인 사고방식에 젖어 있지 않은 사람들은 다른 곳에 초점을 맞춘다. 즉, 이들은 지름길을 찾는 것이다. 그리고 그것은 곧 창의적인 해결책이다.

결국 그들은 생각을 바꿔 새롭고 보다 나은 그리고 비전통적인 문제해결 방식을 찾는 것이다. 그렇게 생각을 바꾸면 당신은 전혀 새로운 결과를 얻을 수 있다.

프로슈머처럼 생각하라

만약 당신이 일반적인 사람들처럼 전통적인 사고방식에 젖어 있다면, 당신 역시 쇼핑을 할 때 소비자처럼 생각할 것이다. 전통에 의하면 가게 주인은 물건을 팔며 부를 창출하고 소비자들은 가게에서 물건을 구입하며 부를 소비하도록 되어 있다.

그러므로 전통에 따른다면 가게 주인은 점점 더 부자가 되어가고 소비자는 점점 더 가난해지는 것이다. 이러한 것을 두고 사람들은 '세상만사가 다 그런 것 아니냐'라는 식으로 당연하게 받아들인다.

잠깐! 아주 잠깐만 전통이라는 안경을 벗어버리고 다시 한번 길을 찾아 보라. 당신이 소비자처럼 생각하고 행동해야 한다는 규정이 도대체 어디에 있단 말인가? 당신이 가게에 가서 미로 찾기를 하며 제품을 사야 한다는 법이 어디에 있단 말인가?

사실, 슈퍼의 매장 내부는 마치 미로 찾기를 하는 것처럼 구성되어 있다. 이것은 단순한 우연의 일치일까? 다시 한번 생각해 볼 가치가 있다.

생각을 바꿔라!

당신은 매장이라는 미로를 그대로 부수고 통과할 수도 있고 미로를 빙 돌아서 갈 수도 있다. 즉, 소비자처럼 생각하기를 중단하고 생산자처럼 생각할 수 있는 것이다.

직원처럼 생각지 말고 고용주처럼 생각하라.

자신을 소비자로 생각하고 부를 소비하는 것과 마찬가지로 당신이 상점주인인 것처럼 생각하고 부를 창출하는 입장에 서 보라. 다시 말해 당신은 소비자처럼 생각하는 대신 프로슈머처럼 생각할 수 있는 것이다.

생각을 바꾸는 첫 걸음은 소비자의 감투를 벗어버리고 생산자의 감투를 쓰는 것이다. 이렇듯 단순한 사고의 전환은 가진 자와 갖지 못한 자, 부자와 가난한 자, 생각만 하는 자와 목표를 달성하는 자를 구분 짓게 만든다.

그렇기 때문에 더 많이 원한다면 프로슈머처럼 생각해야 하는 것이다.

부자 아빠와 가난한 아빠

로버트 기요사키는 『부자 아빠 가난한 아빠(Rich Dad Poor Dad)』라는 책을 통해 내가 말하고자 하는 바를 명확하게 제시하고 있다. 그는 그 책에서 부자 아빠와 가난한 아빠의 사고방식을 극명하게 보여주고 있는데, 우리는 그 내용을 통해 간단하면서도 위대한 삶의 교훈을 얻을 수 있다.

'가난한 아빠'는 아들에게 그야말로 상식적인 사고방식이 부자가 되는 길이라고 가르친 월급쟁이 아빠였다.

"대학에 가라, 열심히 일해라, 돈을 벌어라, 회사에서 성공해라"

이것이 바로 가난한 아빠의 충고였던 것이다.

그러나 '부자 아빠'인 친구의 아버지는 달랐다. 그는 아들과 로버트에게 돈에 휘둘리지 말고 돈을 휘두르라고 가르쳤던 것이다. 그 부자 아빠의 철학은 놀라울 정도로 간단한 것인데, 그가 제시한 부자가 되는 길은 자산과 부채의 차이점을 이해하는 데 있었다.

"자산은 돈을 벌게 해주고 부채는 돈을 쓰게 한다. 그리고 부자는 자산을 사지만 가난한 사람과 중산층은 부채를 사면서 자산을 샀다고 생각한다."

부자 아빠는 자신의 아들과 아들의 친구에게 이렇게 가르쳤던 것이다.

많은 사람들이 흔히 생각하는 것처럼 할인상품을 사면서 돈을 '절약했다고 생각하는 것은 어디까지나 착각에 지나지 않는다. 이들이 산 것은 실제로 또 하나의 부채일 뿐이다.

생각을 바꾸자!

생각을 바꾸면 삶이 바뀐다

스페인에는 사고방식이 사람들의 인생관에 어떤 영향을 미치는지를 잘 보여주는 오래된 격언이 전해 내려온다.

"소매치기가 신부님을 만나면 지갑만 보인다."

이것은 우리의 사고방식에 따라 세상을 바라보는 눈이 얼마나 다른지를 보여주는 단적인 예이다. 소매치기가 생각하는 것은 오로지 한 가지밖에 없다. 그것은 어떻게 하면 남의 귀중품을 슬쩍 훔칠까 하는 것이다.

이러한 소매치기가 행동을 바꾸려면 생각을 바꿔야 한다.

예를 들어 소매치기가 생각을 바꿔 신부님의 관점으로 세상을 바라본다면 어떻게 될까?

아마도 인생이 180도로 바뀔 것이다.

이러한 현상은 소비자에게도 마찬가지로 적용된다.

소비자들은 이 세상을 '돈을 생산하는 곳'이 아니라 '돈을 소비하는 곳'이라고 생각한다. 따라서 소비자들이 할인매장이나 웹사이트를 방문할 때, 이들은 어떤 제품을 목표로 하여 돈을 소비할까를 생각할 뿐이다.

그러나 이들이 매장 주인의 관점에서 제품들을 보기 시작한다면 어떻게 될까? 아마도 이들은 부채가 아닌 자산을 보기 시작할 것이다. 즉, 이들은 가난한 아빠로부터 부자 아빠로 변화하는 것이다.

당신이 계속하여 소비자처럼 생각하며 모든 것을 할인매장에서 구입하는 것으로 돈을 '절약'하려 한다면, 당신이 결국 절약하는 것은 당신의 꿈밖에 없다. 그리고 당신이 할인매장에서 제품을 구입하는데 관심을 집중한다면 결국 40% 세일가격에 사온 잡동사니가 집에 가득 찰 뿐이다.

몇 년 후, 그 물건들은 과연 어떻게 될까?

본래 가격의 백 분의 일이라도 받고 중고로 넘길 수 있다면 다행이지만, 아마도 대부분의 물건들은 처리비용을 들여가며 치워야만 할 것이다.

결국 단기적으로 볼 때 40%를 절약했을지 모르지만, 장기적으로 볼 때 당신에게 남는 것은 쓰레기와 처리비용을 지불해야 한다는 부담뿐이다. 더불어 당신은 그 물건을 구입하는데 들어

간 돈을 벌기 위해 당신의 꿈을 헐값에 팔아버린 것과 같은 셈
이 되어 버린다.

　이제 당신의 생각을 바꿀 때가 되었다.

　프로슈머처럼 생각하라!

제3장
인터넷이라는 킹콩이 나타났다

이제 인터넷이 아니고는 사업을 말할 수 없다. 모든 기업은 인터넷 기업이 될 것이며 그렇지 않은 기업은 더 이상 존재하지 못할 것이다.

- 앤디 그로브(인텔사 회장) -

1950년대 초반, 괴물이 나오는 흑백영화가 늦은 시간에 TV에서 방영된 적이 있다. 그러한 영화에는 타란튤라나 콜로설맨, 고질라 등의 괴물이 나오는데, 그 괴물들은 영화에 따라 다소 달라지지만 기본적인 포맷은 늘 같았다.

즉, 지구의 어딘가에서 원자폭탄이 터지고 곧바로 핵구름이 전세계를 뒤덮는다. 그리고 그 구름이 지상으로 내려앉으며 방사능에 노출된 모든 생물의 유전자가 변형되어 수 천 배로 커진다는 설정이 주류를 이루는 것이다.

이러한 50년대의 공상과학 영화는 그 나름대로 흥미 거리를 제공하긴 했지만, 사실 과학이라기보다는 공상적인 요소가 더 강했다.

공상과학 같은 인터넷

지금 우리가 살고 있는 시대는 50년대와는 근본적으로 다르다. 공상과학 같은 이야기가 엄연한 현실로 자리잡아 확실한 '과학'으로 서 있는 것이다.

물론 방사능 핵구름이나 유전자가 변형된 괴물이 세상을 위협하지도 않는다. 그러나 오늘날에는 가상공간 내에서 벌어지는 'e-구름'이 전세계를 뒤덮고 있으며 수 백 만대의 컴퓨터가 세계를 연결하여 마치 하나의 살아있는 유기체처럼 활동하는 것이다.

우리는 이 최첨단 '괴물'을 일컬어 '인터넷'이라 부른다.

현재 전세계 인구 60억 가운데 3억이 인터넷을 사용하고 있는데, 이것은 20명중 1명 꼴로 사용하는 셈이다. 그리고 전문가들은 2010년까지 10억의 인구가 인터넷을 사용하게 될 것이라고 예상하고 있다.

이것은 곧 전세계의 10억 인구가 비록 거리상으로는 떨어져 있지만, 초고속정보통신망을 사용하여 서로 연결된다는 것을 의미한다. 생각해 보라! 10억의 인구가 단지 클릭하는 것만으로 서로 통신을 하고 판매를 하며 구매하는 세상을.

그야말로 공상과학에서나 보았던 일이 아닌가!

하지만 그것이 바로 우리의 현실이다.

인터넷의 가치

수년 전, 내가 처음으로 인터넷에 접속하기 시작했을 무렵 내친구 중의 한 명은 인터넷을 가리켜 '사용 용도가 불확실한 기술'이라고 평가했었다.

물론 나도 그 당시에는 그의 생각에 동의하였다.

하지만 이제는 그 생각이 완전히 바뀌었다. 오늘날 인터넷은 사업가들이 팩스를 요긴하게 사용하는 것보다 더한 편리함을 안겨주고 있다. 즉, 필수적인 도구가 되어 있는 것이다.

'도대체 인터넷 없는 세상에서 어떻게 살았지?'라는 생각이 들 정도로 이제는 컴퓨터와 인터넷이 삶의 일부가 되어 버린 것이다. 하지만 인터넷이 단순히 e-메일을 보내는 기술에 머물렀다면 인류역사상 최대의 발명품이라는 기록으로 끝나고 말았을지도 모른다. 그러나 인터넷은 엄청난 물건이다!

인터넷은 도서관, 전화번호부, 일간신문, 게임방, 여행사, 박물관, 은행, 증권회사, 화랑 그리고 백과사전이다. 또한 가상 사무실, 사진앨범, 레코드 가게, 비디오 가게, 회의실, 정치활동의 공간, 우체국, 자동차매장, 서점, 백화점…. 일일이 나열을 하자면 끝이 보이지 않을 지경이다.

이제 인터넷의 가치를 깨달았는가!

물론 위에 언급된 기능 중에서 단 하나의 기능만 수행하더라도 그것은 충분히 가치가 있다. 그런데 인터넷은 같은 날 같은 시각에 위의 모든 기능을 수행할 뿐만 아니라 여기서 다 말하지 못한 엄청나게 많은 기능도 수행하는 것이다. 이미 인터넷은 우리의 삶과 일하는 방식을 완전히 바꿔놓고 있다.

전자상거래

전자상거래는 인터넷을 말할 때, 가장 많이 언급되는 기능으로 이것은 인터넷을 통해 상품과 서비스를 사고 파는 기능이다.

세계적으로 인정받는 「포춘」지는 "전자상거래야말로 20세기 초 백화점의 등장이래 소비자를 위해 탄생한 최고의 혜택"이라고 평가하고 있으며 더불어 "인터넷 덕분에 2000년대는 소비자시대가 도래할 것"이라고 전망하고 있다.

그러나 전자상거래는 그 거대한 규모에도 불구하고 아직 초기 단계에 지나지 않는다. 인터넷의 성장을 야구경기에 비유한 어느 기고자의 말을 인용하면 다음과 같다.

"현재 인터넷의 규모는 경기 시작 전의 몸풀기 단계이다. 아직 본 경기는 시작도 하지 않은 셈이다."

결국 전자상거래로 인해 커다란 매출이 형성되고는 있지만, 아직 본격적으로 거대한 시장이 형성된 것은 아니다. 그야말로 아직 걸음마 단계인 것이다. 하지만 그렇다고 하더라도 그 규모는 엄청난 수준이다. 다음의 그래프를 참고하면 그러한 사항을 이해하는데 도움이 될 것이다.

전자상거래 성장전망

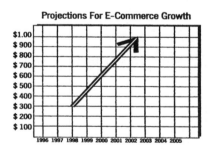

그렇다면 전자상거래가 소비자에게 주는 혜택은 무엇일까?

그것은 바로 편리함과 저렴함이다.

인터넷 쇼핑은 굉장히 편리하다. 북적거리는 매장에 나가 서성거릴 필요도 없고 교통체증으로 짜증낼 필요도 없으며 계산대 앞에 줄을 서서 차례를 기다릴 필요도 없다. 더불어 24시간 내내 편리한 시간에 주문을 할 수 있고 물건은 집에까지 배달이 된다. 이보다 더 편리한 쇼핑이 존재할 수 있을까?

저렴한 가격을 선택하는 것은 어디까지나 소비자의 선택에 달려 있다. 인터넷은 본래 빠르고 광범위하고 효율적이지만, 그것을 선택하는 주체는 소비자인 것이다.

사업자의 입장에서 볼 때에도 전통적인 매장을 마련하고 운영하는 것보다는 클릭 하나만으로 간단하게 처리할 수 있는 사이버 매장을 개설하고 운영하는 편이 훨씬 더 저렴하다. 또한 전자상거래 사이트는 중간상인이 끼어 들 여지가 없다. 따라서 중간상인에게 가던 마진이 소비자에게 그대로 넘어오기 때문에 소비자는 보다 저렴한 가격으로 제품을 구입할 수 있게 된다.

그 결과로써 이제는 바야흐로 '소비자 시대'가 도래하고 있다는 말이 나오는 것이다.

과연 소비자 시대일까?

다시 한번 곰곰이 생각해 보자.

그렇게 많은 전자상거래 사이트가 존재하는 이유는 과연 무엇일까? 왜 사람들은 너도나도 전자상거래에 뛰어들지 못해 안달이 났는가? 그것은 바로 그 안에서 돈을 벌 수 있기 때문이다.

언뜻 생각하면 그러한 사이트들은 여러분에게 할인가로 제품을 제공하기 때문에 고마운 존재처럼 비춰질 수도 있다. 하지만 그것은 착각이다.

왜냐하면 아직은 생산자의 시대이기 때문이다.

생산자의 시대를 살아가는 소비자는 단기적으로 볼 때, 저렴한 가격에 제품을 구입할 수 있다. 하지만 장기적으로 볼 때, 유리한 것은 생산자들이다. 왜냐하면 소비자들이 부채를 창출하는 만큼 생산자들은 자산을 창출하기 때문이다.

즉, 제품이 이동하는 공간이 바뀐 것뿐이지 소비자들은 여전히 돈을 소비하면서 제품을 구입하는 것이다. 이 순환의 고리는 끝없이 이어지게 된다.

결국 생산자는 돈을 벌고 소비자는 돈을 쓰는 셈이다. 그리고 생산자는 점점 부자가 되고 소비자는 점점 가난해진다.

이러한 문제가 생기는 이유는 무엇일까?

카지노에서 돈을 벌려면 카지노 주인이 되어라

라스베가스 미라주 리조트의 최고경영자인 스티브 윈은 생산자와 소비자의 관계를 잘 이해하고 있는 인물이다. 그는 카지노 업계에서 25년간이나 종사해왔고 그 동안 그의 카지노에 투자한 투자자들과 주주들은 수 십 억 달러에 달하는 이익을 창출하였다.

어느 기자가 윈에게 카지노에서 이길 확률이 가장 높은 종목에 대해 묻자, 그는 이렇게 말했다.

"카지노에서 돈을 버는 가장 확실한 방법은 바로 카지노의 주인이 되는 것입니다."

그 이유가 궁금한가?

그것은 바로 카지노의 모든 게임은 항상 카지노 측에 유리하기 때문이다. 그러므로 도박꾼들이 늘 돈을 날리는 만큼 카지노에서는 부를 축적하게 되는 것이다.

윈 사장의 현명한 충고는 도박을 즐기는 사람뿐만 아니라, 일반 소비자 모두에게도 적용된다. 즉, 가게에서 돈을 벌려면 가게의 주인이 되어야 하는 것이다.

사람들은 보통 세일기간이나 할인매장에서 물건을 구입하며 '돈을 벌었다'라고 생각한다. 하지만 이것은 도박꾼이 포커게임이나 룰렛게임으로 돈을 벌 수 있다고 생각하는 것과 같은 이치이다. 즉, 스스로를 기만하는 행위에 지나지 않는 것이다.

물건을 인터넷에서 사든 할인매장에서 사든 또한 제값을 주고 사든 할인가에 사든 소비자가 소비를 하면서 부자가 될 수는 없다. 그것은 절대로 불가능한 일이다!

그러한 행위를 통해 소비자들은 단순히 생산자들을 부자로 만들어줄 뿐이다. '소비'라는 말 자체가 '돈이 나간다'는 의미이지 '돈이 들어온다'는 의미는 아닌 것이다.

카지노가 항상 게임에서 유리하다면 가게는 어떠할까?

물론 언제나 가게가 승리하게 된다.

고릴라와 바나나

얼마 전, 한 투자전문지에서 생산자를 '고릴라'에 비유하고 소비자를 '바나나'에 비유한 글을 실은 적이 있다. 그야말로 적나라한 비유를 통해 생산자와 소비자의 관계를 설명하고 있었던 것이다.

그렇다면 당신은 고릴라가 되고 싶은가? 아니면 바나나가 되고 싶은가? 다시 말해 당신은 돈을 벌고 싶은가? 아니면 돈을 쓰고 싶은가?

생산자가 고릴라이고 소비자가 바나나라고 하는 것은 부인할 수 없는 사실이다. 그리고 고릴라는 살기 위해 바나나를 먹어야 한다. 따라서 고릴라는 하나라도 더 많은 바나나를 유혹하기 위해 온갖 수단(소위 '마케팅'이라 불리는)을 다 동원한다.

물론 고릴라가 가장 좋아하는 수단은 '폭탄세일'이다. 그리고 바나나는 매번 폭탄세일이라는 유혹에 잘도 넘어간다. 그리하여 바나나는 줄을 지어 고릴라에게 먹히고 고릴라는 더욱더 뚱뚱해지고 행복해지는 것이다.

반대로 바나나는 점점 여위어가고 분노를 느낀다. 모두들 나무에 매달려 '어쩌다 인생이 이렇게 되었나?'하고 그 원인을 파악하기에 여념이 없다.

그때, 한 고릴라의 목소리가 들려온다.

"여기가 더 쌉니다!"

그 한 마디에 흥분한 모든 바나나가 나무에서 뛰어내리고 다시 줄지어 고릴라에게 먹히게 된다.

잠에서 깨어나라!

마음 속에 이 말을 깊이 새겨두도록 하라!

"당신의 소비계획은 실효를 거둘 수 없다."

당신은 아직도 세일가로 물건을 구입하면 돈을 절약할 수 있다고 믿는가? 물론 그럴지도 모른다. 왜냐하면 그렇게 믿도록 교육받아왔기 때문이다.

하지만 당신이 열심히 구입하고 있는 그 물건들은 자산이 아니라 부채이다. 단지, 당신은 더 할인된 가격에 더 많은 제품을 사기 위해 더 열심히 일하고 있을 뿐이다. 그리고 생산자들의 행복과 부를 보장해 주기 위해 이자율이 20%에 육박하는 신용카드 빚을 감수하고 있다. 이제는 잠에서 깨어나라!

당신은 잘못된 계획에 넘어갔을 뿐이다. 그렇다면 누가 이러한 계획을 세웠을까? 물론 생산자이다. 당신의 소비계획과 생산자의 생산계획을 비교해 보면 왜 생산자들이 현재의 상태를 그대로 유지하고자 하는지 금방 알 수 있다.

소비계획	생산계획
돈을 쓴다	돈을 번다
고용인이다	고용주이다
수입이 월급에 한정되어 있다	소득이 무제한이다
갈수록 빚이 늘어난다	재정적인 자유를 누린다
전통적인 사고방식	새로운 사고방식
부채증가	자산증가
단기적 '절약'에 힘쓴다	장기적 '부'에 힘쓴다

더욱이 전자상거래 시대의 도래는 생산계획과 소비계획의 양극화를 촉진할 뿐이다. 실제로 인터넷을 통해 편리하게 쇼핑을 즐기는 소비자들은 예전보다 돈을 쓰기가 쉬워져 흥분하고 있으며, 온라인 생산자 역시 전보다 훨씬 적은 노력으로 성장할 수 있어 기뻐하고 있다.

사실, 인터넷은 새로운 종(種)의 생산자를 탄생시켰다. 상거래의 킹콩을 만들어낸 것이다. 그리하여 흑백 공상과학 영화의 괴물과 마찬가지로 e-구름이 인터넷이라는 아기 킹콩에게 내려앉아 그 킹콩은 무지막지한 속도와 크기로 성장하고 있다.

바나나는 자꾸만 작고 왜소해지고 있는데, 킹콩은 굉장한 속도로 커가고 있는 것이다. 게다가 아직 그 킹콩은 아기일 뿐이다. 그 아기킹콩이 성장을 하게 된다면?

이제 소비자는 어떻게 해야 하는가?

생산자가 유리한 이유

좋든 싫든 돈이 있으면 우리의 삶은 보다 윤택해지고 보다 유리한 위치에 설 수 있다. 그렇기 때문에 생산자들은 삶을 통해 소비자들이 놓치는 많은 혜택을 누리는 것이다.

당신 자신에게 이렇게 질문해 보라.

내가 현재 살고 있는 집보다 더 넓고 쾌적한 환경을 제공하는 집에서 산다면 정말 멋지지 않을까? 생산자들은 자신이 살고 싶은 저택에서 멋지게 살고 있다.

매년 일시불로 새 차를 구입할 수 있다면 얼마나 좋을까? 몇 년 동안 낡은 차 할부금을 내느라 허덕이는 것은 정말 비참한 일이다.

아이들이 원하는 학교에 학비부담 없이 척척 보낼 수 있다면 얼마나 좋을까? 가정형편이 어려워 아이들이 원하는 공부를 포기시킨다면 얼마나 가슴 아픈 일인가.

30대 중반이나 후반에 은퇴를 해도 재정적 독립 상태를 즐길 수 있다면 얼마나 좋을까? 예순 다섯에 은퇴하는 것보다 그 편이 훨씬 더 삶의 즐거움을 누릴 수 있을 것이다.

사실, 생산자들은 삶의 방식을 스스로 선택하지만, 소비자들은 남이 선택한 삶의 방식을 그대로 따르고 있다.

당신은 생산자와 소비자 중에서 어떠한 삶을 살고 싶은가?

넉넉한 생산자? 아니면 늘 쪼들리는 소비자?

결론은 뻔한 것이다.

그렇다면 당신은 생산자처럼 소유하고 생산자처럼 살기 위해 생산자들이 생각하고 행동하는 것처럼 생각하고 행동해야 한다.

생산자로 성공할 확률

부자가 되는 길을 두 가지이다.

하나는 인구 중 0.001%가 선택하는 길로써 자신만의 고수익 사업을 맨손으로 시작하는 것이다. 물론 충분히 가능성 있는 일이다. 월마트의 창업자 샘 월튼도 그렇게 시작했고 수많은 사업가들이 이 방법으로 성공하였다.

하지만 현실을 직시하라.

성공적인 사업자가 성공할 수 있었던 이유는 수 백 만의 소비자가 있었기 때문이다. 그리고 나나 당신이 세계적인 할인매장 체인점을 창업하여 성장시키거나 아니면 주가 총액이 어마어마한 인터넷 회사를 차릴 확률은 수 백 억 분의 일에 지나지 않는다.

왜냐하면 전설적인 사업가들이 이룩한 것을 달성하기 위해서는 수 백 만 달러와 끝없는 야망 그리고 뛰어난 능력이 필요하기 때문이다. 사실, 당신이나 내가 샘 월튼처럼 사업에서 성공할 확률은 마이클 조던처럼 농구에서 성공하는 것만큼이나 희박한 일이다.

현명한 구매로 부자가 되라

그렇다고 실망할 필요는 없다.

왜냐하면 나머지 99.999%의 사람들도 '생산자처럼 부자'가 될 수 있는 기회가 있기 때문이다. 물론 수 백 만 달러의 돈이 필요한 것도 아니고 뛰어난 능력이 있어야 하는 것도 아니다.

다만, 프로슈머라고 하는 부의 창출 시스템을 배우고 연습하며 가르침으로써 보통 사람들도 보통 이상의 소득을 발생시킬 수 있는 것이다.

프로슈머는 보통 사람들이 보통 이상의 소득을 즐길 수 있는 가장 자연스러운 방법이다.

왜냐고?

사람들은 보통 뛰어난 소비능력을 발휘하는데, 프로슈머는 바로 그 소비자로서의 능력과 재능을 활용하기 때문이다.

실제로 당신에게 부족한 능력은 생산자로서의 부의 창출 능력이다. 하지만 프로슈머 활동을 통해 당신은 검증된 생산자의 동업 파트너가 될 수 있다. 그리고 프로슈머로서 당신이 해야 하는 일은 상품과 서비스를 생산자에게서 구매하고 그 상품과 서비스를 당신이 아는 다른 사람들에게 전달해주는 것이다. 이때, 생산자는 상품을 제조, 보관 및 운송해주는 역할을 담당한다.

프로슈머인 당신은 생산자와 동등한 입장에서 파트너 관계를 수립하고 있으며 사업내역에 따라 생산자로부터 캐쉬백과 전달 수당을 받게 된다. 그러면 당신은 더욱더 의욕이 치솟아 생산자의 상품 수요를 늘림으로써 그것에 보답한다.

결국 상부상조를 하게 되는 셈이다.

당신은 당신이 잘 하는 것을 하고 생산자는 생산자가 잘 하는 것을 담당한다. 그리고 모두가 함께 돈을 번다. 그야말로 전혀 새롭고 획기적인 또한 효율적인 시스템인 것이다.

당신은 특정한 생산자의 프로슈머 파트너가 됨으로써 부채발생의 부담 없이 생산자로서의 모든 혜택을 누릴 수 있다. 즉, 프로슈머로서 돈을 쓰면서 돈을 벌 수 있게 되는 것이다.

이제 당신 자신과 가족을 위해 부를 창출하고자 하는 당신은 소비를 중단할 필요가 없다. 단지 프로슈머 활동을 시작하기만 하면 된다!

프로슈머 활동은 소비자의 꿈을 실현하는 길이다. 다음의 표에서 보듯이 생산계획과 프로슈머의 계획을 비교해보면 그 차이를 명확히 알 수 있을 것이다.

생산계획	프로슈머 계획
고용인 있음	고용인 없음
막대한 간접비용	적은 간접비용
사무실과 유통시설 필요	일정형태의 사무실 필요 없음
유지비가 비싼 전자상거래 사이트	인터넷 접속이 가능한 컴퓨터만 있으면 됨
막대한 광고예산	구전광고
이익을 주주와 나눔	모든 수익은 나의 것

특히 다행스러운 것은 인터넷 덕분에 소비자들이 프로슈머 혁명에 참여하기가 보다 쉬워졌다는 점이다. 즉, 프로슈머는 인터넷 상에서 자신의 사이트를 방문하는 고객들을 사업 파트너인 기업 쪽으로 교통정리를 해주고 다른 사람에게도 이를 전달하는 일을 하는 것이다.

이것은 결국 전자상거래의 폭발적인 성장과 함께 생산자들이 부자가 되는 것을 강 건너 불 구경하듯 보고만 있지 않아도 된다는 것을 의미한다.

얼마나 엄청난 기회인가!

당신은 이제 온라인 프로슈머로서 생산자와 동등하게 부자가 되는 길로 들어서면 된다.

제4장
세상에 공짜는 없다

사람들이 한창 할인매장 열풍에 휩싸여 있을 때에도 나는 할인매장 근처조차 가본 적이 없었다. 그런데 얼마 전, 친구들과 친지들이 하도 성화를 부리기에 근처의 할인매장을 둘러보게 되었다.

그리고 두 번 다시 가지 않겠다는 결심만 굳히게 되었다!

내가 갔던 할인매장은 마치 비행기 격납고처럼 생겼는데, 보통의 격납고보다 약간 다른 점은 더 크고 더 보기 흉하게 생겼다는 것 뿐이다.

아내와 나는 정문 쪽으로 걸어가면서 주차장 여기저기에 널려 있는 쓰레기에 이맛살을 찌푸릴 수밖에 없었다. 마치 프로축구 결승전 경기를 치른 관람석처럼 엉망진창이었던 것이다. 게다가 입구 바로 앞에는 아직도 연기가 나는 담배꽁초와 쓰레기가 넘쳐흐르는 쓰레기통 두 개가 흉측하게 서 있었다.

그 모양을 보면서 나는 아내에게 이렇게 물었다.

"정문 입구가 이 모양인데, 후문 쪽은 어떠할까?"

"생각하고 싶지 않아요. 절대로 이곳에서 청과물은 사지 맙시다."

창고의 내부는 흡사 적십자구호센터를 연상하게 하였다. 콘크리트 바닥으로 된 복도에는 거대한 선반이 양쪽으로 늘어서 있었고 천장에 닿을 정도로 높이 마분지 상자가 쌓여 있었는데, 상자의 크기는 웬만한 경차가 들어갈 정도였다.

그리고 거리로 치면 두 블록 정도를 걸어간 후에야 우리가 원하는 통조림 제품을 만날 수 있었는데, 가격은 확실히 쌌다. 하지만 그것은 너무도 당연한 일이었다.

왜냐하면 삶은 콩 통조림은 10파운드 즉, 4.5킬로그램들이 캔 단위로 팔고 있었고 참치 통조림은 96온스 즉, 2.25킬로그램들이 캔으로 팔고 있었던 것이다. 케찹 역시 5파운드 즉, 2.25킬로그램들이로 팔았는데, 이것은 병에 담기지도 않았고 깡통 케찹이었다.

우리는 둘이서 낑낑대며 20리터들이 피클 한 통을 간신히 떨어뜨리지 않고 선반에서 내릴 수 있었고, 계산대로 향하였다. 그런데 이게 웬일인가? 그 큰 통을 담을 수 있는 비닐봉투는 존재하지 않았고 우리 역시 그러한 준비를 하지 못했다.

물론 그렇다고 커다란 문제가 된 것은 아니었다. 왜냐하면 통을 뉘어서 차 있는 곳까지 데굴데굴 굴리면 되니까. 단지 그 통을 트렁크에 넣을 수 있는 지게차라도 한 대 있었으면 하는 마음이 간절했지만…

대가는 치르기 마련!

만약 내가 하숙집 주인이거나 친구들을 잔뜩 불러놓고 파티를 치르고자 한다면 이러한 할인매장을 이용하는 것이 좋을 것이다. 하지만 대부분의 평범한 사람들이 이러한 할인매장을 이용하기 위해 치러야 하는 대가는 너무 크다.

물론 단기적으로는 몇 푼의 돈을 절약할 수 있을지도 모른다. 그러나 매장에서 물건을 구입하는 시스템이 불쾌감을 안겨줄 뿐만 아니라, 제품규격이 필요이상으로 너무 크기 때문에 결국은 제 값을 못하고 만다.

이러한 쇼핑은 우리에게 '주는 만큼 받는다'는 세상의 이치를 깨닫게 한다. 즉, 물건을 보다 싸게 구입할 수 있을지는 모르지만, 그 대가로 불편함, 어수선한 분위기, 엉망인 서비스를 감수해야 하는 것이다. 세상에 공짜는 없는 법이다.

어느 것이든 대가는 치르기 마련인 것이다.

사람들이 흔히 말하는 '가격'이라고 하는 것은 특정한 상품이나 서비스를 받는 대가로 지불하는 금액을 말한다. 하지만 나는 '가격'의 정의를 다르게 생각한다. 내가 생각하는 가격은 '원하는 것을 얻기 위해 포기해야 하는 것'을 의미한다.

예를 들어 생각해 보자. 내가 할인매장에서 구입했던 20리터들이 피클은 동네 슈퍼에서 4리터들이 5통을 사는 것보다 5달러 정도가 더 저렴했다. 하지만 이 5달러를 벌기 위해 내가 포기했던 것은 결코 적지 않았다.

우선 차를 타고 번잡한 시내의 반을 왔다갔다 왕복해야 했다. 다시 말해 하루 중 최소한 1시간 이상을 포기한 셈이다. 그리고 동네 슈퍼 아주머니랑 반갑게 인사를 나누며 사는 이야기를 나누는 것도 포기했고 물건을 사면 차까지 들어다주는 슈퍼 직원의 서비스도 포기했다.

그렇다면 그 5달러를 절약하여 내가 얻은 대가는 무엇일까? 무뚝뚝한 점포 직원, 비닐봉투도 준비되어 있지 않은 점포, 흉하게 생긴 창고를 이리저리 헤매야했던 경험 등 나는 집 근처에서 편하게 물건을 사는 것을 포기한 대가로 시내 반대쪽까지 가서 기분상하는 경험을 자초했던 것이다.

그것도 기껏 5달러를 절약하기 위해서!

'원하는 것을 얻기 위해 포기해야 하는 것'의 의미를 이제는 알겠는가?

가격이 가장 중요한 것이라면?

어떤 물건을 구입하는데 있어서 '가격'이 가장 중요한 결정요소라면 아마도 모든 사람들이 경차를 몰고 늘 집에서만 밥을 먹어야 할 것이다. 왜냐하면 그게 가장 싸게 먹히니까.

하지만 우리는 그렇게 살지 않는다. 왜냐하면 싼 가격 대신에 놓치게 되는 무형의 가치가 너무 많기 때문이다.

그리고 어느 쪽이든 대가는 치르기 마련이다.

사실, 1960년대까지만 해도 외식비율은 전체의 6%에 지나지 않았다. 하지만 오늘날 대부분의 사람들은 식사의 60%를 외식으로 해결하고 있으며 그 비율은 매년 증가하고 있다.

그렇다면 외식을 하는 것이 비용 면에서 절약이 되기 때문일까? 결코 그렇지 않다. 우리가 외식을 즐기는 이유는 편하기 때문이다. 식당에 가서 밥을 먹으면 시간도 절약되고 서비스를 해주는 사람도 있으며 먹고 난 후에 설거지를 하지 않아도 된다.

물론 계산서에 나온 금액 중에서 실제로 음식값이 차지하는 비중은 30% 정도에 지나지 않는다. 나머지 70%는 분위기, 편리함, 서비스 등 무형의 가치가 차지하는 것이다. 그럼에도 불구하고 우리는 일주일에 몇 번씩 열심히 번 돈을 그러한 무형의 경험을 위해 선뜻 포기하고 있다.

가치와 비용

어떤 상품이나 서비스를 설명할 때, '부가가치'라는 말이 사용되는 것을 들어본 적이 있는가? 부가가치는 제조업자나 판매업자가 무형의 가치를 덧붙여 상품의 가격을 결정할 때 사용하는 말이다.

예를 들어 컴퓨터 제조업체에서 '무료' 소프트웨어나 '무료' 온라인 서비스를 제공한다면, 이 제조업체는 부가가치를 창출한 셈이다. 그리고 성공한 제조업체들은 대부분 원가보다는 가치가 중요하다는 것을 잘 알고 있기 때문에 원가절감보다는 부가가치에 중점을 두고 브랜드를 구축한다.

시간이 정확하기로 유명한 롤렉스 시계는 좋은 사례이다. 물론 타이맥스 시계 역시 정확하기는 마찬가지이지만, 롤렉스 시계 하나를 살 가격으로 타이맥스 시계를 많게는 1,000개까지 살 수 있다. 만약 두 브랜드의 품질이 비슷하다면 이러한 가격차이는 어디에서 오는 것인가?

간단히 말해 롤렉스와 타이맥스의 원가 차이는 '브랜드'라는 무형의 요소에 달려 있다. 롤렉스를 차고 다니는 사람들은 '나는 생활의 필수품뿐만 아니라 사치품도 살 수 있는 능력을 지니고 있다'고 세상에 알리고 있는 셈이다.

즉, 롤렉스의 가치는 단순히 정확한 시간을 알려주는데 있는 것이 아니라, 오히려 '성공한 사람'이라는 것을 세상에 널리 알려주는데 있는 것이다. 그리고 사람들은 이러한 '부가가치'를 위해 기꺼이 수 천 달러를 지불한다.

상품 그 자체보다 그에 부가된 무형의 가치를 위해 사람들이 추가금액을 기꺼이 지불하는 또 하나의 사례는 바로 스타벅스 커피체인이다. 기껏해야 25센트 분량의 원두커피에 3달러씩 내고 스타벅스 커피를 마시는 사람들은 집에서 마시는 커피의 12배에 달하는 값을 지불하는 셈이다. 그럼에도 불구하고 사람들은 그 커피를 마시기 위해 줄을 서서 기다린다.

12배나 비싼 커피를 마시면서 그들은 과연 바가지를 썼다는 생각을 할까? 전혀 그렇지 않다! 오히려 그 반대로 스타벅스의 고객들은 대부분 단골고객들이다. 단순히 시계가 필요하기 때문에 롤렉스를 찾는 것이 아닌 것처럼 스타벅스를 찾는 사람들 역시 단지 커피가 필요하여 매장을 찾는 것은 아니다. 스타벅스의 고객들은 커피 한 잔과 함께 누리는 경험의 대가를 쾌히 지불할 뿐이다. 그리고 사람들이 그 무형의 가치를 즐기기 때문에 스타벅스는 매년 흑자행진을 계속하는 것이다.

무조건 싸면 좋은 것일까?

예를 들어 스타벅스와 같은 양질의 커피를 스타벅스의 ⅓가격에 제공하는 할인커피점이 전세계 스타벅스 매장 곁에 들어선다면 과연 그 커피점은 성공할까?

절대로 그렇지 않을 것이다.

만약 그것이 가능했다면 이미 많은 기업가들이 그것을 시도해보았을 것이다. 문제는 싸다고 무조건 좋은 것은 아니라는 점이다. 수십 킬로미터를 운전하여 창고형 할인매장에서 피클 값 5달러를 아낀 사람이 돌아오는 길에 스타벅스에 들려 커피 두 잔과 하루 지난 쿠키 한 쪽에 선뜻 10달러를 지불한다는 사실을 생각해 보라.

한 푼 아끼려다 두 푼을 날리지 말라

소비자들은 보통 세일가격이나 할인가격에 물건을 사면 '현명한 구매행위'라고 생각한다. 그러나 낮은 가격 대신 포기해야 하는 다른 요소들이 있다는 것은 생각지 않는다.

세계 1, 2위를 다투는 타이어 제조업체 미쉐린과 굿이어의 경쟁은 우리에게 값싸게 구입한다고 하여 반드시 현명한 구매라고할 수 없음을 시사해주고 있다.

굿이어는 42년 동안이나 세계 최대의 타이어 제조업체로 군림

하였다. 세계 최고라는 위치에 만족한 굿이어는 스포츠 경기가 열리는 미국전역의 경기장에 굿이어 광고용 비행선을 띄워놓곤 하였다. 그리하여 반경 수 킬로미터 이내의 사람들은 모두 굿이어 비행선이 도시 위를 날고 있는 모습을 볼 수 있었다.

"굿이어, 타이어 업계의 1인자!"

그러나 같은 타이어 제조업체였던 미쉐린은 업계 매출 7위로 굿이어의 매출과는 커다란 격차가 있었다. 굿이어의 저가공격에 미쉐린이 밀렸던 것이다. 하지만 미쉐린 타이어가 굿이어 타이어보다 값이 비싼 데에는 그만한 이유가 있었다. 왜냐하면 제품의 품질이 보다 우수했던 것이다.

그때, 시장점유율 문제로 고민하던 미쉐린은 저가타이어 시장은 굿이어의 주도 하에 그냥 두기로 하고, 품질 우선 전략을 펼치기로 결정하였다. 그리하여 가격은 다소 비싸지만 품질만큼은 세계 제일을 자랑하는 수준으로 끌어올리려 노력했던 것이다.

하지만 문제는 그러한 사실을 소비자에게 어떻게 전달하느냐 하는 것이었다. 타이어는 싸다고 모두 좋은 것이 아니라는 것을 보다 효과적으로 알려야 했던 것이다.

바로 그 시점에서 미쉐린은 업계 사상 최고의 성공작으로 평가받고 있는 광고를 제작하였다. 즉, 아기들이 타이어 안에 앉아 웃고 있는 광고를 시리즈물로 내보냈던 것이다. 이와 함께 사용된 카피문구에는 엄청난 메시지가 담겨 있었다.

"타이어 위에 당신의 모든 것이 있습니다!"

이 광고는 기막히게도 소비자들의 심리를 꿰뚫는 것이었다. 그리고 미쉐린 광고를 본 소비자들은 현명한 소비가 무엇인지

즉시 깨달았다. 타이어 한 세트에 몇 푼을 아끼자고 가족의 생명을 담보로 잡을 사람이 어디 있겠는가?

미쉐린의 타이어 광고는 소비자들의 마음을 사로잡았고 5년이 지난 후에는 세계 최대의 타이어 제조업체로 굿이어를 따라잡을 수 있었다. 미쉐린은 가격이 아닌 품질을 광고하여 엄청난 쾌거를 이룩했던 것이다.

다양한 구매결정 요인

미쉐린의 판단은 적중하였다.

사실, 우리가 선택하는 타이어에는 많은 것이 관계되어 있는 것이다. 마찬가지로 당신의 모든 구매결정에는 많은 요인들이 관계되어 있다. 그리고 미쉐린 광고가 특히 강조한 것은 건강과 안전이라는 무형의 가치였던 것이다.

그렇다면 당신의 재정적 안전은 어떠한가? 당신의 재정적 안전 역시 많은 요인과 관계되어 있지 않은가?

사실, 충분히 돈이 있다면 저렴한 타이어를 사는 것에 대해 걱정할 필요도 없고, 무엇이든 가장 싸게 사야 한다는 생각도 할 필요가 없을 것이다.

억만장자인 빌 게이츠가 시애틀 호수변에 1,100평에 달하는 저택을 지으면서 과연 공사업체가 벽공사에 20%의 원가절감을 했는지 안 했는지 신경 쓸 것 같은가? 참고로 말하자면 게이츠의 재산은 1,000억 달러에 이른다. 그런데 게이츠의 아내가 일회용 기저귀를 한 푼이라도 더 싸게 사려고 창고형 할인매장을 몇 군데씩 돌아다닐 것 같은가?

좀더 현실적으로 생각해 보자.

당신은 돈을 한 푼이라도 더 아껴보려고 남은 일생동안 이 가게 저 가게로 옮겨다니며 싼 물건을 찾아다닐 것인가? 아니면 당신의 귀중한 시간을 차라리 부를 창출하고 재정적인 여유를 만들어 가는데 사용할 것인가?

사람들이 할인점을 찾아 헤맬 때, 이들이 진정으로 원하는 것은 무엇인가? 당장 몇 푼을 아끼는 것인가 아니면 진심으로 미래의 재정적 여유를 추구하는 것인가?

만약 당신이 현명한 사람이라면 진심으로 원하는 것은 미래의 재정적 여유일 것이다. 당신은 어떠한가?

마지막으로 한 가지 더 질문을 하겠다. 내가 당신에게 상품과 서비스에 대해 공정하고 합리적인 가격을 지불하면서도 재정적으로 독립할 수 있는 길을 제시한다면, 당신은 구매습관을 기꺼이 바꿀 것인가?

『부자 아빠 가난한 아빠』에 나오는 부자 아빠처럼 현명한 사람이라면 나의 질문에 '그렇다'라고 대답할 것이다.

그렇다면 당신의 대답은 무엇인가?

제5장
상점은 마케팅의 전문가

사람들은 쇼핑을 하던 중에 감각을 상실해 버린다. 왜냐하면 상점에서는 우리가 돈을 더 많이 쓰도록 효과가 뛰어난 전략을 사용하기 때문이다.

- 테리 골드슈타인(소매 마케팅 컨설턴트) -

언젠가 강의실에서 학생들에게 '최고의 상술'과 '최저의 상도덕'의 차이점에 대해 강의를 하다가 예로 들었던 이야기가 있다.

어떤 남자가 동물병원을 찾아가 수의사를 만났다.

"나의 경주마에게 문제가 생겼습니다."

"어떤 문제입니까?"

"평소에는 별다른 문제없이 잘 걷습니다. 그런데 갑자기 심하게 절뚝이는 경우가 있어요. 어떻게 해야 할까요?"

그러자 수의사가 이렇게 말했다.

"아무런 문제없이 잘 걷고 있을 때, 재빨리 팔아버리십시오."

물론 학생들은 이 이야기를 듣고 폭소를 터뜨리지만 곧 진지한 자세로 광고의 진실에 대해 토론을 벌인다. 그리고 나는 학생들에게 의도적으로 고객을 속이는 것은 올바르지 못한 행위라고 설명한다.

바로 이러한 점 때문에 수의사의 충고는 농담으로밖에 치부할 수 없는 것이다. 왜냐하면 상도덕이 없는 사업은 올바르지 못한 사업이기 때문이다.

반면, 어떤 상품의 최대의 장점을 부각시키는 것은 올바른 사업이다. 사람들에게 어떤 상품을 사면 행복, 건강, 부, 아름다움을 얻을 수 있다고 강조하거나 혹은 무엇이든 가능하다고 설득하는 것은 상도덕을 훼손하지 않는 것이다.

바로 이것이 마케팅의 본질이다.

즉, 상품의 가장 뛰어난 면을 부각시켜 고객들이 사고 싶도록 만드는 것이 마케팅이다.

상점의 숨겨진 목적

상점은 스스로 가장 뛰어난 점을 부각시키는 데 있어서 가히 천재적이라 할 수 있다. 그들은 마치 친한 친구처럼 우리들 곁에 늘 존재하는 것이다.

예를 들어 상점에서는 친절한 서비스를 제공하기 위해 엄청난 노력을 기울인다. 슈퍼는 마치 친근한 이웃처럼 지역사회에 뿌리를 내리고, 대형할인매장은 일주일 내내 아침 일찍 문을 열고 저녁 늦게 문을 닫음으로써 마치 친구처럼 쉽게 찾아갈 수 있도록 만든다.

그리고 오늘날처럼 빠르게 변화되는 세상에서 필요할 때 친구처럼 찾아갈 상점이 있다는 것은 마음 편한 일이다.

하지만 착각에서 벗어나라!

상점을 보이는 그대로 받아들여서는 안 된다. 사실 상점은 보이지 않는 목적을 지니고 있다. 즉, 상점은 돈을 벌기 위해 영업을 하는 것이다. 그리고 우리가 상점을 친구처럼 편하게 생각하면 할수록 그 상점에 다시 가서 돈을 쓸 확률은 높아진다.

이것이 어디 우정인가! 어디까지나 마케팅이자 상술일 뿐이다. 바로 이러한 점 때문에 나는 늘 '상점은 당신의 친구가 아니다'라고 강조한다.

상점은 친절하게 행동하여 우리가 더욱더 많은 돈을 쓰도록 유도할 뿐이다. 그렇다고 친절한 서비스가 나쁘다는 것은 아니다. 사실 친절한 서비스를 받고 기분 나빠할 사람은 아무도 없다. 하지만 상점의 입장에서 친절한 서비스는 마케팅의 한 기능에 지나지 않는 것이다. 그리고 마케팅의 궁극적인 목적은 더욱더 많은 제품을 팔아 이익을 남기는 데 있다.

마케팅의 전문가

지난 수년 동안 상점들은 많은 시행착오와 연구조사를 거쳐 고객이 더욱더 많은 돈을 쓰도록 유도하는 방법을 알아냈다. 그 연구결과에 따르면 고객은 물건이 보기 좋게 진열되어 있고 할인율이 높으며 공짜 샘플을 나눠주고 친절한 서비스를 해주는 상점에서 더 많은 돈을 쓴다고 한다.

이것을 언뜻 보면 상점 쪽에서 필요 이상으로 고객을 위해 애쓰는 것처럼 보일 수도 있다.

하지만 상점 쪽에서 사람들에게 필요 이상으로 공을 들이는 이유가 진정으로 사람들에게 관심이 있어서일까? 절대로 아니다. 사실은 사람들의 기분을 편안하고 좋게 만들어 더욱더 많은 돈을 쓰게 하고자 하는 목적을 지니고 있는 것이다.

물론 상점은 사람들에게 관심이 있다. 그러나 그것은 카지노에서 도박꾼들에게 관심을 보이는 것과 다를 바 없다. 돈이 있는 한 고객은 왕이고 돈이 없으면 왕이고 뭐고 아무 것도 아니다. 여기에 감상이 개입할 틈은 없다. 어디까지나 사업일 뿐이다.

상점이 당신에게 친절을 베푸는 이유는 이익을 내기 위해서이다. 물론 그것이 사람을 속인다는 의미는 아니다. 친절한 행동은 마케팅의 일종일 뿐이다. 그것도 고단수의 마케팅인 것이다.

백화점에 도우미가 존재하는 이유는 무엇일까?

그것은 사람들을 친절하게 맞이하여 한 사람의 인격체로서 대접받고 있다는 듯한 인상을 심어주기 위해서이다. 사실 정중한 대접을 받고 우쭐해지지 않을 사람이 어디 있겠는가?

도우미는 이렇게 말한다.

"안녕하십니까?"

"가방을 받아 드릴까요?"

"무엇을 도와드릴까요?"

"편안한 쇼핑되십시오."

실제로 아름답고 친절한 도우미의 도움을 받으면 기분이 좋아진다. 그렇다고 그들이 버스정류장에서 당신을 만났을 때, 아는 척하며 친절하게 인사를 할까? 절대로 그렇지 않다.

그렇다면 매장 입구에 들어서는 당신을 향해 친절하게 인사하는 이유는 무엇일까? 그것은 그들이 그런 일을 해야 하는 직업에 종사하기 때문이다. 즉, 그들은 친절하게 행동을 함으로써 돈을 버는 것이다.

여기에 개인적인 감정이 개입되는 것은 아니다. 단지 그것은 사업일 뿐이며 그것도 훌륭한 사업이다. 사실, 백화점의 친절한 서비스야말로 고객을 끌어당기는 힘이고 그것은 곧 수익으로 연결되지 않던가.

훌륭한 마케팅

매장 입구에서 도우미들이 친절한 미소와 행동을 보이는 것은 당신이 더욱더 많은 돈을 쓰도록 유도하기 위한 고도의 상술에 지나지 않는다. 그렇다고 그러한 상술이 나쁘다는 것은 아니다. 상점의 입장에서 볼 때, 온갖 방법을 동원하여 구매욕구가 들도록 고객들을 유도하는 것은 당연한 행동이다.

이런 점에서 볼 때, 뛰어난 마케팅은 데이트와 같다고 할 수 있다. 누구든 자신의 이상형과 데이트를 할 경우에는 본인의 모습 중에서 가장 좋은 것을 보여주기 위해 노력하는 것이다.

예의 바르게 행동하고 상대방의 말을 경청하며 친근감 있게 행동하는 것은 물론이고 옷도 가장 좋은 것으로 골라 입고 신발도 멋진 것으로 선택하여 신게 되는 것이다.

최선을 다해 가장 좋은 모습을 보여주는 것은 남을 속이는 일이 아니다. 당신이 데이트 상대와 두 번 세 번 그리고 그 이상 만날 수 있는 기회를 잡기 위해 좋은 모습을 보이려 노력하듯 상점도 자신의 매력을 발산하기 위해 노력할 뿐이다.

그러므로 상점에서 보다 많은 사람들의 시선을 끌 수 있는 방법으로 상품을 전시하는 것은 결코 남을 속이는 것이 아니다. 다만, 상점은 목적을 달성하기 위해 필요한 상술을 활용하는 것뿐이다. 즉, 당신이 상품과 서비스를 반복 구매하도록 최선의 노력을 기울이는 것이다.

프로와 아마추어

지난 수년동안 소비자의 지갑을 열게 하는 상점들의 솜씨는 날로 향상되어 왔다. 실제로 소비자들의 구매솜씨보다는 상점들의 파는 솜씨가 훨씬 더 나아진 것이다.

상점들이 파는데 있어서 전문가적 수준에 도달해 있다면 소비자들은 구매를 하는데 있어서 아직도 아마추어 수준에 머물러 있는 상태이다. 왜 이러한 차이가 벌어졌을까?

그것은 바로 상점들은 늘 물건을 팔고 있기 때문이다.

사실, 상점의 존재가치는 물건을 파는 행위 그 자체에 있다. 그리고 물건을 파는 행위는 상점들이 늘 연구하고 생각하고 실천하는 모든 것이다.

하지만 고객들은 가끔씩 물건을 구입한다. 그렇기 때문에 구매습관을 전문가적 수준으로 끌어올리려 노력하는 사람이 없다.

결국 상점은 당신의 지갑을 열기 위한 온갖 상술 그리고 쇼핑목록과 주차제한 시간을 마련해 놓고 당신을 기다리고 있는 것이다.

프로와 아마추어가 어찌 상대가 되겠는가!

상점과 고객과의 관계는 나와 우리 집 애완견 피치와의 관계를 생각나게 한다. 피치는 울타리로 막아놓은 뒷마당에서 빠져나오는 것을 매우 좋아했다. 매일 아침 출근을 하기 전에 나는 피치를 뒷마당에 풀어놓곤 했는데, 저녁에 퇴근하여 돌아와 보면 피치는 어떻게 해서든 울타리를 빠져나와 앞마당에서 나를 기다리고 있었다.

이런 일이 몇 달 동안이나 반복된 후에야 나는 절대로 피치를 뒷마당에 가둬놓을 수 없다는 것을 깨달았다. 피치는 인생의 목표가 뒷마당을 탈출하는 것에 있었던 것이다. 나는 시간이 날 때마다 뒷마당의 울타리를 고치고 세워 피치를 가둬놓으려고 애를 썼지만 피치는 매일 그 울타리를 부수거나 쓰러뜨려 그곳을 빠져나왔다.

그렇게 뒷마당을 빠져나오는 것은 피치의 즐거움이자 낙이었던 것이다. 그리하여 내가 새로운 대안을 세울 때마다 피치는 용케도 그것을 처치할 방법을 찾아내곤 하였다.

풀타임 상점과 파트타임 고객

피치와 나의 울타리 게임은 당신이 상점을 상대로 하여 벌이는 게임과 같다.

당신이나 나의 경우 '현명한 소비'에 대해 생각할 수 있는 시간은 하루에 고작 몇 분 정도에 지나지 않는다. 왜냐하면 우리에게는 할 일이 있고 먹여 살려야 할 가족이 있으며 삶이 있기 때문이다. 그리고 그 속에서 쇼핑은 어디까지나 부수적인 활동에 지나지 않는다.

하지만 피치가 울타리를 빠져나오는 일에만 골몰한 것처럼 상점은 물건을 파는 일에만 골몰한다. 즉, 1년 내내 그리고 하루종일 단 한 가지 목표에만 초점을 맞추는 것이다.

따라서 고객들이 구매거부의 울타리를 세우자마자 예를 들면 앞으로 1년 동안 자동차를 구매하는 커다란 지출은 하지 않겠다는 결심을 하자마자 상점에서는 그 저항의 울타리를 빠져나오거나 쓰러뜨릴 방법을 찾아낸다.

"12개월간 무료로 승차할 수 있습니다!"

현실적으로 고객은 상점 측에서 고객의 지갑을 열기 위해 고안해내는 온갖 수단에 일일이 대응할 수 없다. 왜냐하면 상점의 임무는 고객의 지갑을 비우는데 있기 때문이다.

고객이 상점에 들어가면 곧 적의 진영에 들어선 것과 같다. 홈구장이 유리하다는 말처럼 일단 고객이 상점에 들어서면 상점 측이 유리해진다. 그리고 소매상점으로 들어간 고객은 장난감 총을 들고 호랑이 굴에 들어간 것과 같다.

어찌 상대가 되겠는가!

쇼핑을 하는 이유

오늘날, 상점에서 펼치는 마케팅의 수준은 가히 과학의 경지에 도달해 있다고 해도 과언이 아니다.

인류학자들이 문화를 연구하는 것처럼 소매업 전문가들은 고객을 연구하여 고객이 어떻게 구매결정을 하는지 밝혀내는 것이다. 파코 언더힐이라는 전문가는 쇼핑하는 사람들을 관찰하고 추적하고 찍고 녹음하고 인터뷰하는데 수 천 시간을 할애하였다.

그리고 그 결과를『왜 구매하는가? -쇼핑의 과학-』이라는 자신의 저서에 수록하여 소매상점의 폭발적인 인기를 끌었다. 더불어 그 책에는 고객들의 구매패턴, 매출을 대폭 늘리기 위한 간단한 전략 등이 제시되어 있다.

예를 들면 수천 시간에 달하는 비디오테이프 내용을 분석한 결과, 대부분의 고객들은 매장에 들어서면서 오른쪽 방향으로 향한다는 사실을 알게 되었다. 이 정보를 얻은 공항에서는 기념품 가게를 복도의 우측에 그리고 음식점을 좌측에 배치한다고 한다.

왜냐하면 이용객들이 음식을 먹기 전에 기념품 가게에 들러 이런저런 물건을 사게 된다는 사실 때문이다.

고객의 감정에 호소하는 기발한 전략

수 천 개의 소매상점에서는 이익을 올리기 위해 다음과 같은 전략을 활용한다. 하지만 고객 중에서 자신이 상점의 상술에 넘어가고 있다는 것을 알고 있는 고객은 백 만 명중의 하나에 불과하다. 대부분의 고객들은 상점 측의 상술에 완전히 끌려가고 있는 것이다.

언더힐은 약삭빠른 상점과 순진한 고객의 대결을 이렇게 요약하고 있다.

"갈수록 고객의 구매결정이 현장에서 이루어지는 경향이 늘고 있다. 즉, 넉넉한 주머니와 열린 마음으로 매장을 찾는 고객들은 충동구매의 유혹에 넘어가는 것이다. 일찍이 상품광고가 지금처럼 위력을 발휘하던 시절은 없었다."

실제로 상점은 고객보다 유리한 입장에 놓여 있다. 그리고 고객들이 매장에서 구입하는 물건의 70%가 충동구매인 데에도 그만한 이유가 있는 것이다.

특히 창고형 매장은 고객들의 충동구매를 부추기는데 일가견을 갖고 있다. 경제전문지인 「포브스」에 의하면 "손님들이 슈퍼에서 물건을 구매할 때보다 창고형 할인매장에서 구매할 때, 50달러 정도를 더 소비한다"고 한다.

이 무슨 아이러니인가!

할인매장을 즐겨 찾는 고객들은 사실 그곳에서 물건을 살 때, 돈을 더 절약한다고 믿고 있다. 하지만 실제로는 오히려 돈을 더 쓰는 것이다!

다시 한번 강조하지만 상점은 프로이고 고객은 아마추어에 지나지 않는다. 그리고 홈구장에서 프로가 하는 게임에 아마추어가 뛰어들어 이길 가능성은 전혀 없다.

그러면 고객의 구매충동을 부추기는 상점들의 10가지 전략을 알아보자.

① 매장에 오랫동안 붙잡아둔다

언더힐은 이렇게 말하고 있다.

"고객 한 명이 얼마만큼의 돈을 소비할 것인가를 결정하는 가장 큰 요소는 매장 내에 얼마나 오래 머물게 할 수 있느냐에 달려 있다."

이 사실을 잘 알고 있는 상점들은 고객들을 조금이라도 더 붙들어 두기 위해 온갖 수단을 다 동원한다. 부드럽고 마음을 편하게 해주는 음악과 조명을 이용하여 고객이 긴장을 풀고 천천히 움직이도록 만드는 것은 기본이다.

어느 조명담당 컨설턴트의 말을 들어보자.

"나의 목표는 고객들이 눈을 깜빡이는 횟수를 30번에서 14번으로 줄이는 것이었습니다."

왜 그랬을까? 그것은 전문가들의 연구결과 눈을 깜빡이는 횟수가 적으면 적을수록 사람은 긴장을 풀고 느긋하게 행동한다는 결론을 얻었기 때문이다.

당신은 식품 매장의 내부가 매우 복잡하게 구성되어 있다는 사실을 의아하게 생각해 본 적은 없는가? 그것은 당신이 더욱더 천천히 이동하고 결국은 더 많이 구매하도록 하기 위함이다.

② 충동구매를 부추긴다

마케팅 조사 연구자에 의하면 우리가 매장에서 구입하는 물건의 3분의 2는 충동구매라고 한다. 그리고 이것을 잘 알고 있는 상점에서는 고객의 충동구매를 부추기는 형태로 매장을 꾸며놓고 있다.

가장 좋은 사례가 계산대 바로 앞에 놓인 껌과 사탕이다. 또한 매장 전체에 걸쳐 충동구매를 자극하는 요소는 얼마든지 존재한다. 그동안 무심코 지나치던 식품매장에 들리게 된다면 회코너에 놓여 있는 초고추장이나 야채코너 옆에 자리잡은 샐러드

드레싱을 살펴보기 바란다.

③ 아이에게 팔아라

언더힐이 찍은 비디오테이프를 보면 애완동물 사료나 시리얼 종류는 아이들이 선택하는 경우가 많았다. 즉, 자신이 원하는 물건을 잡기 위해 선반 위로 올라가려는 아이들이 카메라에 많이 잡혔던 것이다.

실제로 매장에서 시리얼과 애완동물 사료를 아이들의 손이 닿는 중간 선반으로 내려놓자마자 매출이 상승하였다고 한다. 선택의 주체가 누구인가 하는 것은 매우 중요한 요소이다. 모든 고객의 사소한 행동 하나 하나에서도 아이디어를 얻는 것이 상점의 상술인 것이다.

④ 인적 요소를 활용한다

언더힐에 의하면 고객의 가장 큰 관심사는 다른 사람들이라고 한다. 이러한 이유에서 패스트푸드점의 가장 중요한 광고판은 정면 계산대 뒤의 시선이 닿는 높이에 달려 있다. 그리하여 고객들은 계산대의 점원을 볼 때마다 이 광고판을 보게 되는 것이다.

현명한 광고배치는 매출증대를 위한 확실한 비결이다.

⑤ 상품을 섞어 놓는다

슈퍼의 라면 코너에 놓인 라면의 종류가 얼마나 되는지 알고 있는가? 실제로 시중에 나와 있는 라면의 종류는 수십 가지가 넘는다. 그렇게 종류가 많다면 일목요연하게 정리해 놓아 찾기 쉽도록 해놓으면 좋을 텐데 상점에서는 보통 두서 없이 진열해 놓는다.

왜 그럴까? 물론 그러한 진열에는 그럴만한 이유가 있다. 왜 냐하면 원하는 라면을 찾기 위해 그 코너를 모두 뒤져보아야 하기 때문이다. 그 라면을 찾는 동안 이런저런 상표가 눈에 띨 것이고 어느 새 바구니에는 새로 나온 신제품이 들어가 있게 된다.

⑥ 계산대의 소음을 줄인다

혹시 당신은 계산이 끝나면 '띠링' 소리를 내며 영수증을 토해내던 구식 계산기를 기억하는가? 하지만 오늘날 점포 계산대에서는 이렇듯 요란하게 소리를 내는 계산기는 존재하지 않는다. 그 대신 낮고 작은 소리로 바코드를 읽어주는 현금계산기가 앉아 있는 것이다.

계산기 소리가 낮게 울리는 것 그리고 지불을 나중에 해도 되는 신용카드 등은 물건을 구입할 때 지출의 충격을 덜어주기 때문에 고객은 더욱더 많은 돈을 쓰게 된다. 그만큼 소비자의 신용카드 빚은 늘어나는 것이다.

⑦ 광고판으로 호기심을 유발한다

언더힐은 상점의 주인들에게 상점을 매장으로 생각지 말고 3차원 TV광고처럼 생각하라고 권한다. 실제로 매장은 고객을 유혹하기 위한 온갖 단어와 생각, 메시지, 아이디어 등으로 가득차 있는 공간이다.

그러므로 적절한 장소에 놓인 광고판과 강력한 메시지는 상점의 매출에 커다란 영향을 미치게 된다. 언더힐은 그 점에 대해 이렇게 설명한다.

"매장 내의 모든 요소들이 제대로 작용하지 않는다면 광고판으로 고객을 끌어들여 고객이 더 오랫동안 매장 내에 머물도록 유도한다. 광고판을 만들 때 주의할 점은 TV 광고 문구를 만들고 광고를 찍는 것처럼 무슨 말을 언제 어떻게 전달할 것인지를 판단하는 것이다."

⑧ 고객을 기다리게 하지 않는다

뚜렷한 목적이 있는 고객은 그 목적을 달성할 때까지 다른 일에 관심을 보이지 않는다. 이 점을 알고 있던 월그린 슈퍼 체인점에서는 상점의 제일 안쪽에 약국을 설치해 놓았다. 왜냐하면 처방전을 들고 들어온 고객은 약을 산다는 목적을 달성할 때까지 다른 모든 광고와 전시된 상품을 무시하기 때문이다.

이럴 경우, 고객이 본래의 목적을 달성하기 전까지 다른 물건을 판다는 것은 불가능한 일이다. 그래서 약삭빠른 상점에서는 약국에 들렀다가 나오는 고객의 충동구매를 부추기기 위해 상품 광고와 전시물이 매장 안쪽을 향하도록 꾸며놓기도 한다.

⑨ 무료로 대접한다

매장 내에서 무료로 샘플을 나눠준다면 일단 주의할 필요가 있다. 어느 연구결과에 의하면 그렇게 샘플을 사용해 본 사람의 90%는 그 제품을 구매한다고 한다. 굉장한 구매율이 아닌가?

만약 제공된 샘플이 음식이라면 사람들은 보통 '맛있다'고 생각하고 그러면 충동구매가 일어나는 것이다. 그리고 무료로 받은 제품에 대해 일종의 죄책감을 느끼며 의무감에서 구매를 하는 고객들도 많다.

사실, 상점 측에서는 고객들이 샘플에 대해 어떻게 생각하는가에 대해서는 관심이 없다. 다만, 샘플을 뿌리면 매출이 증가한다는 사실에만 관심이 있을 뿐이다.

이 세상에 공짜는 없는 법이다. 다음에 공짜 샘플을 받을 기회가 있다면 이 말을 다시 한번 상기하도록 하라.

⑩ 평생고객으로 만든다

나무는 가지가 휘어진 방향으로 자란다는 말처럼 지출은 소비자가 어렸을 때부터 소비의 방향을 어떻게 결정하느냐에 따라 달라진다.

상점들은 담배 같은 기호품처럼 고객들이 어렸을 때부터 즐겨 애용하기를 바란다. 그렇기 때문에 수많은 상점에서는 아이들을 염두에 두고 계획을 세운다. 따라서 불량식품은 아이들의 눈높이에 맞춰 지상 1.2m 정도의 선반에 전시되어 있고, 과자나 간식류 역시 마찬가지이다.

우리 동네의 슈퍼는 냉동식품 코너 쪽에 복도를 좁게 만들어 코너를 돌 때 복도 양쪽으로 냉동고의 유리문이 보이도록 설치해 놓았다. 그 덕분에 반대쪽 칸에서도 아이들이 부모에게 아이스크림을 사달라고 조르는 소리가 자주 들려온다.

그리고 베이커리 코너에서는 아이들에게 무료로 쿠키를 나눠

주기도 한다. 엄청난 배려 아닌가!

이러한 10가지 사례는 상점들이 고객의 지갑을 열게 하려고 활용하는 수많은 상술 가운데 일부일 뿐이다. 앞으로도 상점들은 치열한 경쟁을 뚫고 자신의 이익을 늘리기 위해 고객을 자극할 수 있는 기발한 아이디어를 더욱더 많이 내놓을 것이다.

단순한 소비의 고리를 끊어라

고객들의 충동구매를 유발하기 위해 상점에서 활용하는 다양한 상술을 알고 난 뒤, 나는 내가 마치 파블로프의 개가 된 듯한 기분이었다.

파블로프는 조건반사 이론을 정립한 학자로 그는 개에게 음식을 줄 때마다 종을 쳐서 개가 조건반사를 일으키도록 훈련을 하였고 그 후에는 음식이 제공되지 않더라도 종소리만 나면 개가 침을 흘리도록 만들었던 것이다.

마찬가지로 상점에서 어떤 상품을 전시하거나 무료 샘플을 나눠줄 때마다 우리는 물건을 사도록 길들여져 왔다. 즉, 상점은 우리가 조건반사적으로 부를 소비하도록 우리를 길들여 온 것이다.

우리가 소비를 하면 할수록 상점은 더욱더 부를 창출하게 된다. 이러한 순환은 끝없이 반복되며 그러한 소비순환의 고리를 끊는 유일한 방법은 우리의 구매습관을 바꾸는 것 뿐이다.

이제 상점들이 원하는 소비행위에 길들여지는 것을 거부하고 당신 자신을 프로슈머 활동에 길들이는 것은 어떨까?

즉, 매달 필요한 물건을 사기 위해 동네에 있는 '남의 매장'에 가는 것이 아니라 '나의 매장'에서 물건을 구입하도록 구매형태를 전환하는 것이다.

소비자처럼 생각하고 부를 소비하느니 차라리 생산자처럼 생각하고 부를 생산하도록 우리의 조건반사를 바꾸는 것은 어떠할까?

쇼핑을 위해 교통지옥을 뚫고 나가 매장에서 실시하는 충동구매 작전에 넘어가느니 차라리 집에서 편안하게 쇼핑하며 충동구매 건수를 줄이는 것은 어떨까?

현금을 소비하는 소비의 고리를 끊고 현금을 벌어들일 수 있는 프로슈머의 고리로 소비형태를 바꾸는 것은 어떨까?

생산자처럼 생각하고 행동하며 다른 사람들에게도 이것을 전달하면 어떠할까?

이렇게 활동하며 충분한 사람들에게 이 활동에 동참하도록 설득할 수 있다면 우리가 살고 일하고 돈버는 방법을 바꿔줄 프로슈머 혁명을 시작하게 되는 것이다.

이것이 실현된다면 상점은 단순한 친구 이상의 관계로 발전할 것이다. 왜냐하면 당신 자신이 상점의 주인이기 때문이다. 그리고 주인이 되는 것이야말로 프로슈머 활동의 핵심이다.

제6장
현명하게 지출하라

돈은 벌기보다 쓰는 방법이 더 어렵다. 돈을 잘 쓰는 사람은 인생의
승리자가 되고, 그 방법이 좋지 않은 사람은 패배자가 되고 만다.

- 클리크 -

1950년대 중반과 60년대, 미국과 캐나다 등지의 수백만 TV시
청자들은 매주 일요일 저녁마다 TV 앞에서 자리를 뜰 줄 몰랐
다. 왜냐하면 아역 배우 존 프로보스트가 '티미'로 열연하는 '돌
아온 래시'를 시청하기 위해서이다.

매회 방영분마다 존 프로보스트가 "래시, 돌아와!"라고 래시를
부르며 시작되는 이 프로그램은 TV 역사상 가장 장수한 프로그
램의 하나였고 그로 인해 존은 채 12살도 되기 전에 이미 백만
장자의 대열에 들어가 있었다.

그렇게 일찍 백만장자가 되었다면 존은 평생동안 편안하게 살
지 않았을까? 아마도 대부분의 사람들이 그럴 것이라고 생각할
것이다.

하지만 그로부터 40년이 지난 후에 알게 된 사실은 존이 더
이상 백만장자가 아니라는 점이다. 그의 삶은 '돈은 많은데 그것
을 어떻게 써야 할지 모르는 사람'의 전형적인 사례를 잘 보여
주고 있다.

존은 아주 간단하게 말한다.

"돈은 그냥 노는데 다 써버렸습니다."

존 프로보스트의 낭비벽은 아직 10대 시절일 때, 6,000달러 짜리 스포츠카를 사면서부터 시작되었다. 그 후, 10여년간 존은 수백 만 달러의 돈을 소비하였던 것이다.

오늘날 존 프로보스트는 또 다른 아역 스타였던 브랜드 크루즈 그리고 제프 피터슨과 함께 전국의 토크쇼를 순회하며 인터뷰에 참여하는 시청자들에게 자신들이 어떻게 하여 수 백 만 달러의 재산을 나쁜 구매습관으로 날려버렸는지 이야기해 준다.

물론 이들이 구입한 물건 중에는 할인가로 산 것도 많을 것이다. 아마도 이들은 장난감을 싸게 사면서 돈을 절약했다고 생각했을 지도 모른다. 하지만 이들이 어느 정도의 비율로 할인을 받았든 과소비를 하는 이상, 지출이 소득을 넘어서는 것은 시간 문제일 뿐이다.

복권의 함정

사는 게 힘들고 어려울수록 사람들은 복권을 많이 산다고 한다. 그리고 우리는 주변 사람들로부터 흔히 이런 말을 듣곤 한다.

"복권에 당첨되기만 하면…"

이런 사람들과 마찬가지로 폴 스코트 쿠니 역시 농담처럼 '복권만 당첨되면 어찌어찌 하겠다'고 장담하곤 하였다. 그러던 어느 날 그것이 현실로 나타났다. 수 천 억 분의 일에 해당하는 기회가 그에게 찾아온 것이다. 26세의 쿠니는 우승상금 2천만 달러 짜리 플로리다 복권에 당첨되는 행운을 거머쥐었다.

그야말로 평생 먹고살 걱정을 안 해도 되는 막대한 돈이 생긴 것이다. 최소한 쿠니는 앞날이 고속도로처럼 뻥 뚫려있다는 생각에 가슴이 벅차 오르는 것을 느꼈다.

그런데 10년 후…,

쿠니는 5백만 달러에 달하는 빚을 꼭 갚겠다는 내용의 채무변제 계획을 승인 받기 위해 파산법정에 출두하였다.

그렇다면 그가 20년을 살더라도 1년에 1백만 달러씩 쓸 수 있었던 그 엄청난 돈은 어찌되었단 말인가?

막대한 돈이 들어오자 쿠니는 사치스러운 생활을 즐기며 투자는 철저하게 기피하고 그 대신 자동차, 오토바이, 가족과 친구들을 위한 비싼 선물 등 순전히 부채만 사들였다.

물론 쿠니는 10년 동안 물건을 사들이면서 좋은 조건의 물건을 싸게 구입한 적도 있을 것이다. 누구라도 반 트럭 분량의 가구를 한꺼번에 구입하고 오토바이를 한 번에 세 대씩 구입한다면 당연히 할인혜택을 받게 되는 법이다.

하지만 값을 깎았든 깎지 않았든 소비는 곧 자산의 감소를 의미한다. 비록 할인 상품을 구입하더라도 그 속도는 다소 더디겠지만 자산이 줄어드는 것은 마찬가지인 것이다.

당신이 수 백 만 달러를 벌어들이는 아역 배우이든, 운이 좋아 복권에 당첨되든 아니면 정부보조금으로 근근히 살아가는 사람이든 소비는 곧 자산의 감소를 의미한다. 이것은 지극히 단순한 사실이다.

아직도 할인가에 물건을 구입하면 돈을 절약할 수 있다고 생각하는가? 하지만 당신이 실제로 절약하는 것은 돈이 한 푼도 안 남을 때까지의 기간일 뿐이다.

부를 창출하는 해법

물론 앞에서 예를 들었던 야역 스타나 복권 당첨자는 극히 예외적인 사례라고 생각할 수도 있다. 하지만 대다수의 북미 사람들이 하나같이 소비를 함으로써 가난의 길을 걷고 있다는 사실은 어떠한가?

몇 가지 사례를 살펴보자.

- 1998년, 한해 동안 개인파산을 신청한 미국인은 120만 명이었다. 전반적인 경제상황이 매우 좋은 여건이었음에도 불구하고 파산자의 수가 증가했던 것이다.

- 미국의 평균적인 가정에서 안고 있는 신용카드 빚은 약 7천 달러(이자율은 12%~22%)로 2000년 현재 신용카드 빚은 1990년 대비 두 배 이상 급증했다.

- 1997년 현재 미국인들은 1980년에 비해 매주 8시간 정도 더 일하고 있다.

- 「USA 투데이」지의 조사에 의하면 미국인 중에서 54%가 당장 실직을 할 경우 3개월을 버티기가 힘들다고 응답했다.

- 북미의 가계대출 규모는 사상 최고치인 6조 3천억 달러로 이는 지난 5년간 약 50%가 증가한 규모이다.

– 내일 당장 사회안전보장제도가 없어진다면 노년층의 절반 가량은 내일부터 빈곤층으로 전락할 것이다.

이러한 통계치로부터 우리가 알 수 있는 것은 사람들이 전보다 더 열심히 일하는데도 불구하고 빚은 더욱더 늘어가고 있다는 사실이다.

부를 창출하는 해법은 열심히 일하는데 있지 않다. 그것은 현명하게 지출하는데 있는 것이다. 만약 사람들이 물건을 값싸게 구입하면서도 부를 소비하지 않고 현명한 구매로 부를 창출한다면 이들은 자기 자신과 가족을 위해 진정한 재정적 안정을 누릴 수 있을 것이다.

지금도 늦지 않았다

대부분의 사람들은 싼 가격에 물건을 사면 실제로 돈을 절약할 수 있다고 배워왔다. 그렇기 때문에 사람들이 가난해지는 것이다.

나는 사람들이 프로슈머의 힘을 배운다면 개인파산이 확대되는 것을 막고 더욱더 많은 사람들이 재정적 안정을 누릴 수 있을 것이라 확신한다.

빚으로 향하는 길은 '할인'이라는 말로써 그럴 듯하게 포장이 되어 있다. 그렇다고 당신이 반드시 그 길로 가야 하는 것은 아니다. 당신은 얼마든지 재정적 자유가 기다리고 있는 그 반대방향으로 유턴할 수 있다.

계속 부를 지출하는 소비자로 남느냐? 아니면 방향을 전환하

여 프로슈머가 되느냐? 하는 것은 오직 당신만이 선택할 수 있
는 문제이다.

　현명한 선택을 하라.

　그러면 절대로 후회하지 않을 것이다.

제7장
당신이 진정 원하는 것은?

직장에서든, 집에서든 그 어느 곳에서든 시간은 그나마 조금이라도 가치가 남은 나의 유일한 재산이다.

- 스코트 리머(기술관련주 전문 증시 애널리스트) -

낚시를 몹시 좋아하는 처크라는 사람이 있었다. 하지만 그는 매년 겨울이 되면 호수가 얼어붙는 바람에 몇 개월씩 낚시를 즐기지 못해 몹시 우울해하곤 하였다.

그러던 어느 날, 그의 친구가 찾아와 얼음 낚시에 대한 이야기를 들려주었다.

"굉장한 아이디어야!"

처크는 크게 환호성을 지르며 어린아이처럼 좋아했다.

"내일 당장 해볼 거야."

그 다음 날 아침, 처크는 새벽같이 일어나 낚시도구를 챙겨들고 얼음이 골고루 잘 얼어있는 장소를 찾아갔다. 그리고 얼음에 구멍을 뚫은 처크는 낚시 바늘에 미끼를 꿰고 구멍 아래로 낚싯줄을 드리웠다. 그는 추위도 아랑곳하지 않고 끈기 있게 기다렸다. 그렇게 그가 두 시간 가까이 앉아 있었지만 한번도 입질하는 고기가 없었다. 그런데 갑자기 어디선가 크게 외치는 소리가 들려왔다.

"여기에는 고기가 없어요!"

하지만 그 정도에 포기할 처크가 아니었다. 그는 계속 버텼고 그렇게 한 시간 정도가 흐르자 아까의 그 목소리가 다시 들려왔다.

"여기엔 고기가 없다니까요!"

몇 달 동안 낚시를 하지 못해 몸살이 날 지경이었던 처크는 쉽게 포기하지 않았다. 그는 계속 낚싯줄을 바라보며 고기가 입질하기를 끈기 있게 기다렸다. 그렇게 또 한 시간이 흘러갔다.

"여기엔 고기가 없다니까요!"

어찌나 그 목소리가 컸던지 이번에는 처크도 그 소리를 무시할 수가 없었다. 얼떨결에 머리를 감싸 안은 처크는 기어 들어가는 목소리로 물었다.

"혹시…, 하나님이십니까?"

"아니, 난 이 스케이트장의 주인이오!"

장님 코끼리 만지기

물론 물고기를 잡기 위해서가 아니라 낚시라는 행위를 통해 즐거움과 만족감을 얻기 위해 낚싯줄을 드리우는 사람도 있다. 그러나 이러한 사람들 역시 스케이트장에서 낚시를 하려는 처크와 크게 다를 바 없다. 즉, 그들은 즐거움과 만족을 얻기 위한 목표에는 열정적이지만 전혀 엉뚱한 장소에서 낚시질을 하고 있는 것이다.

대부분의 사람들은 더욱더 저렴한 가격에 더욱더 많은 물건을 사는 것에서 행복을 얻으려 한다. 하지만 실제로 할인매장의 제품이나 세일하는 물건을 낚으면서 행복을 잡을 수는 없다. 할인된 가격에 물건을 구입하는 것으로 행복을 얻으려 하는 사람들은 스케이트장에서 낚시를 하려는 것과 다를 바 없는 것이다.

한 발 물러서서 스스로에게 물어 보라.

"내가 진심으로 원하는 것은 할인된 가격인가? 아니면 더 많은 시간인가?"

그러면 실제로 자신이 원하는 것은 조금 더 싼 가격에 조금 더 많은 물건을 구입하기 위해 시간을 허비하는 것이 아니라는 것을 알고 새삼 놀랄 것이다.

사실, 조금이라도 더 싸게 그리고 더 많이 구입하려고 여기저기를 쇼핑하는 사람들은 '돈을 절약'하기 위해 '시간을 소비'하고 있는 셈이다. 이것이 문제가 되는 이유는 '시간은 우리에게 주어진 것 중에서 가장 소중한 것'이기 때문이다.

삶의 충만한 행복을 누리는 사람들은 시간의 가치를 이해하고 있기 때문에 돈을 절약하기 위해 시간을 소비하지 않는다. 다만 그들은 시간을 절약하기 위해 돈을 소비할 뿐이다.

시간의 가치와 돈의 가치

당신이 지금 인생의 황금기에 있다고 생각해 보자.

당신은 지금 행복한 결혼생활을 하고 사랑스런 두 자녀를 두고 있으며 믿음직한 친구들도 많고 양가 부모님도 모두 건강하여 그야말로 남부러울 것이 없다.

그런데 갑자기 문제가 발생한다. 당신이 중병 말기이고 앞으로 1주일 밖에 생명이 남아 있지 않다는 통고를 받게 된 것이다. 그렇다고 살 길이 전혀 없는 것도 아니다. 당신은 1,000억 달러의 재산을 가진 세계 최대의 갑부이고 남은 일주일 안에 어떤 미치광이 의사가 만들어낸 기적의 명약을 복용하면 당신을 살 수 있다.

그 약은 효험이 너무도 확실하기 때문에 복용하는 즉시 효과를 발휘할 뿐만 아니라 최소한 10년 이상은 건강하게 살 수 있다고 한다.

하지만 문제는 그 미치광이 의사가 기적의 묘약을 내주는 대가로 1,000억 달러를 요구한다는 점이다. 그것은 당신이 가지고 있는 재산의 전부이다. 즉, 그 의사는 당신의 저택, 요트, 사업, 주식, 저축, 예금 등 당신의 인생과 가족 그리고 1,000억 달러를 벌어들이는 능력을 제외한 모든 것을 자신에게 양도하라고 요구한 것이다.

게다가 당신은 1분 이내에 그 의사에게 대답을 해야 한다.

그리고 그 의사의 손에는 이미 당신의 모든 자산을 양도한다는 내용의 양도계약서가 들려 있고, 당신은 재산과 생명 중에서 하나를 선택해야 한다.

시계의 초침은 째깍거리며 계속 돌아가고 당신이 그 계약서에 서명을 한다면 이제 당신에게 남는 것은 당신의 재능과 지식, 가족 그리고 앞으로 10년 동안 보장된 건강이다.

이 상황에서 당신은 어떻게 할 것인가?

미치광이 의사에게 모든 자산을 넘겨주고 계약서에 서명할 것인가? 시간은 계속 흘러 이제는 5초 밖에 안 남았다. 4초, 3초, 2초, 1초…. 당신이 진심으로 원하는 것은 무엇인가?

돈인가 아니면 시간인가?

당신의 결정은 잘 모르겠지만 나라면 100분의 1초가 지나기도 전에 서명할 것이다.

돈의 가치와 시간의 가치는 비교할 가치조차 없다. 시간이야말로 돈보다 훨씬 더 중요한 것이다.

돈은 언제든 더 벌 수 있다. 하지만 시간은 더 만들 수 없다. 인간에게는 누구에게나 공평하게 하루 1,440분의 시간이 주어지는 것이다. 그 이상도 그 이하도 주어지지 않는다. 그리고 그 시간을 허비하거나 존중하는 것은 개인의 선택에 달려 있다.

부자들의 쇼핑 목적은?

부자들은 '시간이 돈보다 귀하다'는 것을 충분히 이해하고 있다. 그렇기 때문에 그들은 돈을 절약하기 위해 시간을 사용하지 않고 시간을 절약하기 위해 돈을 사용한다.

마이클 조던이 저택을 꾸미기 위한 가구를 구입할 때, 동네 가구할인매장을 기웃거리거나 중고품 판매시장을 얼쩡거리며 돈을 아낄 것이라고 생각하는가? 아니면 아예 전문 디자이너를 고용하여 물건을 대신 사도록 하고 시간을 아낄 것이라고 생각하는가?

즉, 마이클 조던과 같은 부자들의 쇼핑 목적은 싼 가격일까?

아니면 편리함일까?

대답은 뻔하다. 그렇다고 하여 부자들만 시간을 절약하기 위해 돈을 쓸 수 있다고 강조하는 것은 아니다. 중산층 가정에서도 식기세척기나 건조기 등 시간을 절약하기 위한 제품들을 많이 활용하고 있다.

바로 이러한 점 때문에 오늘날 서비스 경제가 폭발적으로 성장하고 있는 것이다. 왜냐하면 점점 더 많은 사람들이 시간을 절약하는데 돈을 쓰기 때문이다.

예를 들면 집에서 옷을 다림질하느니 차라리 세탁소에 보내버리고, 일주일마다 자신이 직접 정원의 잔디를 손질하느니 잔디 깎는 사람을 고용하여 일을 처리하는 것이다.

일상생활 속에서 우리가 시간을 절약하는 사례는 수도 없이 많다. 그럼에도 불구하고 어찌된 일인지 사람들은 30분이나 1시간씩 차를 몰아 할인매장을 찾아가고 계산대 앞에서 20분씩 기다리며 점원들의 불친절한 서비스를 감수하고 있다. 게다가 교통체증에 짜증을 내며 집으로 돌아온다. 왜 그럴까? 그것은 단순히 세제 하나에 몇 푼을 '절약'하기 위해서이다.

그렇다면 뭐가 잘못되었다는 말인가!

다른 사람의 시간을 구입하라

내가 결혼할 당시, 아내와 나는 시간이 돈보다 귀중하다는 것을 잘 알고 있었다. 그래서 우리는 가능하면 시간을 절약하기 위해 돈을 쓰고 그 절약한 시간에 가족과 함께 즐기자고 약속하였다. 그리고 지금까지 그 약속에 대해 후회한 적은 한번도 없다.

얼마 전, 이웃집에 사는 사람이 놀러와서 이렇게 자랑했다.

"어때요. 우리 집이 산뜻해졌지요? 내가 직접 칠을 한 것이라오. 그래서 2천 달러나 절약할 수 있었답니다."

하지만 그것은 자랑할 것이 못 된다. 왜냐하면 그는 휴가기간 내내 그 페인트칠에 매달려야 했기 때문이다. 이웃 사람이 그렇게 페인트칠을 하는 동안 나는 가족들과 함께 디즈니월드에 가서 즐거운 시간을 보내고 있었다. 그 때의 경험과 추억은 그 무엇과도 바꿀 수 없는 소중한 시간이었던 것이다.

하지만 그 시간을 돈과 바꿈으로써 2천 달러를 절약했던 이웃 사람은 저녁에 아이들과 함께 놀아줄 기운도 없었다. 이 얼마나 엄청난 손실인가!

실제로 임종의 순간에 '일을 더 많이 했더라면 좋았을걸' 하고 후회하는 사람은 없다고 한다. 마찬가지로 죽음을 앞둔 사람이 '가족들과 함께 즐기는 시간을 좀더 가질 걸' 하고 생각하는 대신 '페인트칠을 직접 하여 몇 천 달러를 절약할 걸', '잔디를 직접 깎을 걸' 하고 후회하는 사람은 없을 것이다.

심리학자인 로버트 레바인 박사는 이렇게 말했다.

"돈이 충분하다면 다른 사람의 시간을 구입할 수 있다. 즉, 다른 사람에게 돈을 주어 당신의 일을 하도록 시킬 수 있는 것이다. 왜냐하면 당신의 시간은 그 사람의 시간보다 더 가치가 있기 때문이다."

물론 아내와 나는 우리의 시간이 그 누구의 시간보다 귀중하다는 것을 일찌감치 깨닫고 있었지만, 다시 한번 생각해도 레바인 박사의 충고는 깊이 새겨둘 만하다.

5년이라는 시간을 절약하는 법

만약 삶의 즐거움으로 가득 찬 5년의 시간을 구입할 수 있다면 당신은 어떻게 할 것인가? 아마 당신은 피식 웃으며 어떻게 그런 일이 있을 수 있느냐고 반문할 지도 모른다.

하지만 그것은 가능하다. 그리고 이미 나는 그 시간을 2년이나 구입하였다.

예를 들어 당신이 돈을 조금 절약하기 위해 매일 사용하는 시간이 1시간 내지 2시간이라고 가정해 보자. 사실, 이 시간은 보다 더 생산적으로 사용할 수 있는 시간이다. 즉, 집에서 파트타임으로 부업을 할 수도 있고 아이들과 즐거운 시간을 보낼 수도 있으며 아니면 운동을 할 수 있는 시간인 것이다.

언뜻 생각해 볼 때, 하루 중의 한 두 시간은 그다지 길게 느껴지지 않을 수도 있다. 하지만 하루의 한 두 시간은 일주일이면 10시간이고 1년에는 500시간이 된다. 그리고 하루에 깨어 있는 시간이 16시간이라고 했을 때, 500시간은 실질적으로 31일 정도에 해당한다. 그러면 매년 한 달이 더 생긴다는 계산이 나온다. 그리고 그것이 12년이 되면 1년이 절약되는 셈이다.

따라서 만약 당신이 20세부터 시간을 절약하기 위해 돈을 쓰기 시작하면 80살이 되었을 때, 당신은 60개월 즉 5년에 해당하는 시간을 절약하게 된다.

돈을 절약하기 위해 시간을 투자하는 대신, 시간을 절약하기 위해 돈을 투자하면 당신은 5년이라는 생산적이고 재미있는 양질의 시간을 벌 수 있다.

당신은 그러한 시간을 어떻게 사용할 것인가?

친구들과 골프를 칠 것인가? 아니면 가족들과 함께 보내는 시간을 늘릴 것인가? 해외여행을 즐길까? 파트타임으로 사업을 시작할까? 아니면 그 모든 것을 다 해볼까?

왜 내가 할인제품을 찾아 멀리까지 쇼핑하러 돌아다니며 돈을 절약하는 것보다 차라리 시간을 절약하는 것이 더 중요하다고 주장하는지 이해가 되는가?

진정으로 가치 있는 혁신적 개념

만약 빵을 먹고 있는 동시에 손에 또 빵을 들고 있는 방법을 배울 수 있다면 어떠할까? 다시 말해 시간을 절약하는 동시에 돈을 절약할 뿐만 아니라 돈도 벌 수 있는 방법이 있다면 어떠할까?

이것은 진정으로 가치 있는 혁신적인 개념이 아닐까?

할인된 가격에 물건을 살 수 있고 그 물건이 집 앞까지 배달되는 시스템이 있다면 어떠할까? 교통체증에 시달리지 않아도 되고 계산대 앞에서 줄을 서서 기다리지 않아도 되며 할인쿠폰을 모으기 위해 애쓰지 않아도 되고 넓은 주차장에서 차를 어디에 세워두었는지 몰라 헤매지 않아도 되며 구입한 물건을 차에 싣기 위해 끙끙대지 않아도 되는 방법이 있다면 어떠할까?

이것은 진정으로 가치 있는 혁신적인 개념이 아닐까?

집에서 컴퓨터를 사용하여 파트타임으로 일하면 매달 200달러 정도 그리고 풀타임으로 일하면 매년 20만 달러까지 돈을 벌 수 있는 방법이 있다면 어떠할까?

이것은 진정으로 가치 있는 혁신적인 개념이 아닐까?

실제로 이러한 시스템은 존재하고 있다. 그리고 그 시스템은 나나 당신이 활용해주기만을 기다리고 있다. 이것은 저렴한 구매보다 현명한 구매를 지향하며 그 구매방식을 다른 사람들에게 전달하는 프로슈머의 위력과 인터넷의 파워 더불어 편리함이 결합된 혁신적인 시스템이다.

이 혁신적인 시스템은 지난 50년 동안 그 효과가 입증된 직거래와 전자상거래의 엄청난 힘이 조합된 결과물이다. 또한 이것은 나의 절친한 친구 버크 헤지스가 'e-직거래'라고 부르는 개념으로써 2000년대의 부의 창출 방식은 물론이고 라이프스타일까지 바꿔놓고 있다.

'e-직거래' 혁명

'e-직거래'라는 말이 다소 생소하게 느껴지는가? 그렇다고 당황할 필요는 없다. 사실, '인터넷'이라는 말도 1990년대 중반까지는 대부분의 사람들에게 생소한 용어였다.

하지만 채 몇 년도 안 가서 인터넷은 세계경제의 원동력으로 자리잡았으며 인류 역사상 그 어떤 산업보다 많은 부를 창출하고 있다.

그리고 보다 중요한 사실은 엄청난 효율성, 광속으로 전개되는 속도, 전세계의 국경을 허물어버린 광범위함으로 인해 급속도로 성장한 인터넷과 프로슈머의 위력이 만나 앞으로 수십 년간 수 백 만의 사람들에게 수 백 억 달러의 돈을 벌어들이게 해 줄 사업모델이 탄생했다는 점이다.

이제부터 'e-직거래'라는 혁신적인 개념을 통해 전자상거래를 당신의 상거래로 변환하고 당신의 꿈을 실현할 수 있는 방법을 배우도록 하라.

당신이 삶을 통해 진정으로 원하는 것은 무엇인가?

물론 더 많은 시간일 것이다.

그리고 그 시간을 즐기기 위한 더 많은 돈일 것이다.

보다 많은 시간과 보다 많은 돈은 단순한 꿈이 아니다.

왜냐하면 그것은 충분히 실현가능한 일이기 때문이다!

제8장
E-직거래, 프로슈머의 힘이 실현되는 곳

 만약 당신이 좋은 일을 할 수 있거든 지금 당장 행하라. 그리고 기억
하라! 기회는 한번 지나가면 다시 되돌아오지 않는다.
- 무명씨 -

한때, TV에서 주목을 끌었던 벤츠의 광고는 가치에 대한 강력한 메시지를 전달하기 위해 가격과 가치를 동일시할 수 없다는 강한 이미지를 심어주고 있다.

그 광고에서는 처음에 베이브 루스의 사진이 TV 화면 전체를 차지하면서 이러한 멘트가 들려온다.

"베이브 루스의 계약금은 125,000달러였습니다."

그리고 다음으로 알래스카의 광야를 찍은 사진이 나타나며 이러한 멘트가 들린다.

"미국은 알래스카 대륙을 에이커당 2센트에 샀습니다."

다음 장면에서는 세계 최초의 컴퓨터 사진이 나타나며 이러한 멘트를 내보낸다.

"세계 최초의 컴퓨터 가격은 485,744.02달러였습니다."

그리고 그 다음 장면에 '가치'라는 단어가 나타나고 다음에는 메르세디스 벤츠의 신형 모델이 나온다. 이어서 멘트가 계속 흘

러나온다.

"중요한 것은 가격이 아닙니다. 그 대가로 무엇을 얻느냐 하는 것이 중요합니다."

저렴한 구매를 지양하고 현명한 구매를 지향하는 것은 단순한 가격 이상의 내용을 고려한다는 의미를 내포하고 있다. 즉, '내가 지불하는 대가로 얻는 것은 과연 무엇일까?'라고 스스로에게 질문해 보면 어떤 상품이나 서비스의 참된 가치가 드러나는 것이다.

물론 벤츠보다 더 저렴하면서도 이동수단으로 쓰인다는 점에 있어서 똑같은 기능을 수행하는 자동차는 많이 있다. 하지만 벤츠를 소유한 주인들은 더 많은 비용이 들어간 만큼 더욱더 많은 것을 얻을 수 있다고 말한다.

즉, 안락함, 고품격 스타일, 높은 중고판매 가치, 위상, 안정, 신뢰도 등 이외에도 그들이 느끼는 만족감은 여러 가지로 나타난다.

결국 벤츠를 몰고 다니는 사람들이 비싼 값을 치른 대가로 얻는 것은 비용 그 자체를 훨씬 더 상회하기 때문에 그들의 브랜드 충성도는 매우 높은 편이다.

프로슈머가 얻는 것은?

"가격은 중요하지 않다. 그 대가로 얻는 것이 더 중요하다"

이것은 우리가 구매하는 모든 상품에 적용된다. 그렇다면 이

말에 대해 한번 생각해 보자.

소비자들이 할인상품을 구입했을 때, 그 대가로 얻는 것은 무엇인가?

그것은 시간이 지날수록 가치가 하락하는 부채일 뿐이다. 그렇기 때문에 구입할 때에는 2천 달러를 주고 산 소파를 2년 후에 중고로 팔 때에는 2백 달러라도 받으면 다행인 것이다.

소파는 자동차나 옷 그밖에 우리가 구입하는 대부분의 물건처럼 시간이 지날수록 그 가치가 하락하는 부채에 지나지 않는다. 즉, 감가상각하는 부채의 경우에는 상점을 떠나는 그 순간부터 가치가 절반으로 줄어드는 것이다.

그렇기 때문에 우리는 그 반대의 개념으로 시간이 지나면서 점점 그 가치가 상승하는 투자를 생각해 보아야 한다.

우선 우리가 소비자처럼 생각하지 않고 프로슈머처럼 생각하면 어떻게 되는지 살펴보자.

프로슈머는 단순히 상품이나 서비스를 얻게 되는 것에서 그치지 않고 돈을 벌 기회도 얻게 된다. 즉, 처음에 프로슈머가 상품이나 서비스를 구입할 때의 비용은 조금 더 많을지 모르지만, 그 대가로 얻게 되는 기회는 그 추가비용을 상쇄하고도 남는 것이다.

왜냐하면 스스로 현명한 구매를 하고 또한 남들에게도 현명한 구매를 하도록 가르침으로써 수백, 수천, 수백만 달러에 달하는 돈을 벌 기회를 얻을 수 있기 때문이다.

구전광고의 파워

'상부상조'라는 말의 뜻은 내 등을 밀어주면 나도 네 등을 밀어줄 것이고, 내 집 짓는 것을 도와주면 나도 네 집 짓는 것을 도와줄 것이며, 내가 돈 버는 것을 도와주면 나도 네가 돈 버는 것을 도와주겠다는 의미로 이것을 라틴어로 말하자면 쿼드 프로 쿼(quid pro quo) 즉, 원포원(one for one)이 된다.

그리고 바로 이것이 프로슈머의 근본정신이다.

프로슈머는 스스로 자신의 상품과 서비스를 이용하며 또한 다른 사람들이 그 상품과 서비스를 찾을 수 있도록 사업을 전달하고 더불어 자신의 사업을 성장시킨다. 그리고 그 대가로 당신은 더욱더 커다란 캐쉬백 혜택을 얻거나 전달수당을 받을 수 있으며 혹은 두 가지 혜택을 모두 누릴 수 있다.

따라서 프로슈머인 당신은 상품과 서비스를 누릴 수 있을 뿐만 아니라 동시에 자산을 늘릴 기회도 얻게 되는 것이다. 그리고 이것은 서로에게 이익이 되는 윈윈게임이다.

물론 '소개 수수료'라는 것은 상거래의 역사가 처음 시작되던 시절부터 다양한 형태로 존재해왔다. 그리고 소개 수수료가 사업을 성장시킨다는 것은 이미 증명된 사실이다.

예를 들면 부동산회사를 운영하는 나의 친구는 한 달에 보통 100건 정도의 부동산 매매를 성사시킨다고 한다. 다시 말해 이것은 한 달에 100명 정도의 고객이 계약을 하기 위해 공증인이나 보험회사 등을 찾는다는 의미이다.

만약 당신이 공증사무소를 운영한다고 가정해 보자.

그렇다면 부동산 회사를 운영하는 내 친구가 고객을 소개해주는 대가로 그에게 소정의 수수료를 지불하는 것도 괜찮은 사업이 아닐까?

당연히 괜찮은 사업이 된다.

실제로 부동산을 운영하는 내 친구는 도시에 있는 최고의 공증사무소와 계약을 맺었다. 즉, 모든 부동산 고객에게 ○○ 공증사무소를 추천하는 대신 내 친구는 건당 50달러를 받기로 했던 것이다. 그리하여 이 친구가 소개 수수료로 매년 벌어들이는 수입만 해도 5만 달러가 된다.

이러한 계약의 장점은 계약 당사자 모두가 이익을 볼 수 있다는 점이다. 부동산업자는 구두로 추천하는 대가로 돈을 벌 수 있기 때문에 만족스럽고 공증사무소 역시 아무런 광고도 하지 않고 매달 100여 명의 신규 고객이 찾아오기 때문에 만족스럽다. 그리고 고객들은 적당한 가격에 최고의 서비스를 받을 수 있어 또한 만족한다.

이것이 바로 구전광고의 위력이다.

구전광고로 인해 거래에 관계된 모든 사람들이 가치를 얻게 되는 것이다.

직거래의 성장

1940년대 말, 어느 소규모 비타민 회사에서 영업전략을 수립하던 중 자사의 고객들은 대부분 사람들의 추천을 받아 제품을 사용하게 된다는 사실을 알게 되었다.

즉, 스스로 제품을 사용해본 사람들이 제품에 만족을 느껴 친구나 친지에게 추천하고 그 친구나 친지는 다시 자신의 친구나 친지에게 소개하는 식으로 제품이 광고되었던 것이다.

그리하여 그 회사는 과감하게 결단을 내렸고 그 결과 연간 1천 억 달러 규모의 산업이 탄생하게 되었다.

그 회사의 경영진은 기존의 광고계획을 없애고 그 대신 구전광고 체제를 도입했던 것이다. 이 새로운 구전광고 시스템은 일체의 광고비용을 지출하지 않고 오직 소개 수수료에만 의존하였다.

그리하여 더 많은 사람들에게 소개를 하거나 매출을 많이 올리는 고객일수록 더욱더 많은 수입을 올릴 수 있었다. 이러한 프로슈머의 위력이 자리잡기에는 그다지 오랜 시간이 필요하지 않았다.

고객들은 비록 할인매장처럼 저렴하지는 않지만 곧 현명한 소비의 장점을 이해하였고 그것을 다른 사람들에게도 소개하기 시작했던 것이다.

그렇게 고객층이 확대됨에 따라 매출액은 크게 성장하였고 소개 수수료 역시 빠른 속도로 증가하였다. 특히 사업기질이 뛰어났던 여러 고객 겸 파트너들은 전달사업을 통해 충분한 소득을 창출할 수 있었기 때문에 아예 기존의 직업을 그만두고 전문적인 프로슈머로 활동하기 시작했다.

그렇게 하여 직거래 시대가 열린 것이다!

그 후, 50여년 동안 직거래는 폭발적으로 성장하였고 오늘날에는 전세계의 수백만 명이 직거래 회사의 파트너로 활동하고 있다.

그리고 직거래 파트너들은 보다 현명하게 소비함으로써 또한 그러한 소비를 다른 사람들에게 전달함으로써 매달 수백 달러에서 수십만 달러까지 혹은 그 이상의 소득을 올리고 있다.

1+1=4

직거래가 폭발적으로 성장하게 된 이면에는 '기하급수적 성장'이라는 개념이 숨어 있었다. 즉, 기하급수라는 개념 때문에 직거래는 보통 이상의 소득을 창출하려는 보통 사람들에게 최고의 기회가 될 수 있는 것이다.

그러면 기하급수적 성장의 위력을 살펴보자.

단순 덧셈에서 '1+1=2'가 된다. 이것은 1차적 단순 성장의 사례로 오직 한 개의 축을 따라 숫자가 늘어난다.

반면, 기하급수적 성장 상태에서는 두 개의 축을 따라 숫자가 늘어난다. 즉, 1차 방정식에서는 '1+1=2'라는 식이 성립되지만, 기하급수적 성장에서는 $1+1=2^2$(혹은 1+1=4)라는 식이 성립되는 것이다.

따라서 '배가의 법칙'이라고도 알려져 있는 기하급수적 성장은 1차적 단순 성장보다 훨씬 더 빠르고 역동적이라고 할 수 있다. 또한 시간이 흐름에 따라 기하급수적 성장은 엄청난 숫자로 성장하며 결국에는 상상을 초월하는 수익을 창출하게 하는 것이다.

기하급수적으로 성장하는 직거래

그러면 '1+1=4'라는 기하급수적 개념이 직거래에서 어떻게 통용되는지 살펴보자.

예를 들어 친구 한 명이 당신에게 직거래로 유통되는 영양보조식품을 먹어 보라고 권하였다고 하자. 그런데 그 제품을 복용해보니 삶의 활력도 넘치고 군살도 빠졌다고 하자. 그러면 당신은 스스로 제품의 효과를 체험했기 때문에 주위의 아는 사람들에게 그 회사의 제품을 소개해도 좋겠다는 생각을 하게 된다.

그리하여 제품을 사용한지 1주일 후, 친구에게 그 회사의 제품과 전달 수수료를 통해 부수입을 올릴 수 있는 방법에 대해 말하고 그 친구가 당신처럼 사업에 참여했다고 하자.

그리고 그 다음 주에 당신과 당신의 친구가 똑같이 사업을 했다고 하자. 다시 말해 당신이 그 상품과 기회를 다른 친구에게 전달하고 처음에 당신이 전달했던 친구 역시 자신의 친구에게 상품과 기회를 전달하는 것이다.

그렇게 하여 주말이 되면 당신이 전달하고 후원하는 사람은 두 명이 되고 당신의 첫 번째 파트너는 자신의 친구 한 명을 후원하고 있을 것이다. 이제 당신의 직거래 사업에 참여한 사람은 당신 자신, 두 친구 그리고 첫 번째 친구가 전달한 친구를 합하여 모두 4명이 된다.

이제 '1+1=4'가 어떻게 성립되는지 이해되는가?

당신과 당신이 기회를 소개한 사람들이 매주 이러한 노력을 계속해서 반복한다면 당신의 네트웍 조직은 매달 배로 증가할 것이고 곧 수 천 명으로 구성된 당신의 네트웍이 형성될 것이다.

이때, 당신이 한 일이라고는 제품을 매주 한 사람에게 전달하고 당신과 함께 사업에 참여한 모든 사람들에게 당신과 똑같이 할 수 있도록 가르친 것 밖에 없다.

이것이 바로 직거래의 가장 큰 매력이다.

그리고 회사는 당신이 친구에게 회사의 제품을 소개시켜 준 대가로 당신이 소비하는 제품에 대해 할인혜택을 제공할 뿐만 아니라, 당신의 친구가 사용하는 물건에 대한 수수료나 커미션을 당신에게 제공한다. 또한 친구의 친구가 사용하는 물건 그리고 그 친구의 친구의 친구가 사용하는 물건에까지 수수료나 커미션의 대상은 라인의 끝까지 이어진다.

예를 들어 당신의 네트웍이 1~2년 안에 100명이나 1,000명의 규모로 성장한다고 하자. 그러면 당신은 당신의 네트웍에 참여한 사람들이 사용한 상품 전체에 대해 커미션을 받게 된다. 그리고 수 천 명의 사업가로 구성된 네트웍이 그다지 특별한 것이 아니라는 점을 감안한다면 또한 매달 수백만 달러에 달하는 상품을 수 백만 명의 직거래 파트너가 사용한다는 점을 감안하면 전세계적으로 수 천 명이 넘는 사람들이 재정적 자유를 이루었다는 것은 전혀 놀랄만한 일이 아니다.

직거래와 프로슈머적 사고

프로슈머 사고방식은 저렴한 구매보다 현명한 구매를 지향하고 다른 사람들에게도 이러한 구매방식을 소개하는 것이다. 그리고 이러한 정의는 직거래에도 적용된다. 즉, 저렴한 구매보다 현명한 구매를 실천하고 다른 사람들에게도 이것을 소개하는 것이다.

만약 당신이 직접판매회사의 프로슈머로 활동한다면, 물건을 사용하면서도 동시에 자산을 늘릴 수 있다. 즉, 상품과 서비스를 사용하기 위해 지출하는 것으로 끝나는 것이 아니라 수수료를 통해 얻는 수입으로 부를 창출할 수 있는 것이다.

곰곰이 생각해 보라.

물건을 사용하기 위해 돈을 지출하고 그것으로 그만인 것보다는 지출에 대한 소득이 들어온다면 그것보다 더 좋은 일이 어디 있을까? 그리고 어차피 매달 샴푸나 세제를 구입해야 하고 또한 생활에 필요한 여러 가지 물건을 사용해야 한다면 새로운 사업을 전달하는 것으로 수당을 얻을 수 있는 회사의 제품을 사용하는 것이 더 낫지 않을까?

이것은 당신의 사고를 소비자적 사고방식에서 프로슈머적 사고방식으로 바꿀 때 일어날 수 있다.

즉, 당신은 돈을 쓰면서 동시에 돈을 벌 수 있을 뿐만 아니라 당신이 기회를 전달한 파트너들과 그들이 또 다시 기회를 전달한 모든 파트너들이 제품을 사용할 때마다 더욱더 많은 돈을 벌 수 있는 것이다.

따라서 네트웍 조직의 프로슈머로서 자사의 물건을 사용하는 것과 아무 곳에서나 물건을 구입하여 사용하는 것의 차이는 부동산을 소유하는 것과 임대하는 것 그리고 저축과 소비의 차이와 같으며 자산과 부채, 투자와 소비, 예금 잔고를 늘리는 것과 줄이는 것의 차이와 같다.

좋은 기회를 좋은 사람과 함께 나눈다

자신에게 좋은 일이 생기면 그 기쁨을 좋은 사람들과 함께 나누고자 하는 것은 인지상정이다. 즉, 어느 주유소의 기름 가격이 저렴한지, 어느 가게의 과일이 싼 지, 어디에서 싼 가격에 자동차를 구입할 수 있는지 등 그러한 사례를 열거하자면 끝이 없다.

하지만 당신이 진심으로 좋은 사람들과 좋은 일을 함께 나누려 한다면 프로슈머의 개념을 공유하길 바란다. 알을 낳는 거위를 친구에게 선물하고 싶다면, 그 친구에게 단순한 소비는 돈을 쓰는데 그치는 반면, 프로슈머 활동은 돈을 벌게 해준다는 사실을 설명하라.

만약 당신이 친구에게 은행을 추천해야 하는 상황이라면 어떤 은행을 권하겠는가? 수표발행 수수료가 가장 싼 은행일까? 아니면 당신이 수표를 발행할 때마다 환불을 해주고 당신이 추천한 사람이 수표를 발행할 때마다 당신에게 커미션을 꼬박꼬박 지불해 주는 은행일까?

예를 들어 당신의 친구가 두 번째 은행의 고객인데 당신을 귀찮게 하고 싶지 않아서 당신에게 그 좋은 것을 말해주지 않았다고 하자. 당신은 어떤 생각이 들겠는가? 친구가 당신을 귀찮게 하지 않았다고 감사할까? 아니면 그렇게 좋은 조건이 있는데도 말해주지 않았다고 섭섭하게 생각할까?

직거래의 기회 역시 이와 마찬가지이다. 즉, 직거래 은행의 고객이 되는 것과 같은 것이다.

만약 당신이 100달러 짜리 수표를 발행할 때마다 은행에서 당신에게 20달러 짜리 수표를 지불한다면? 그리고 당신이 그 은행에 소개하는 모든 고객 역시 당신과 같은 서비스를 받는다면? 게다가 그 고객들이 발행하는 모든 수표에 대해 그리고 그 고객들이 소개한 다른 고객들이 발행하는 모든 수표에 대해 당신이 커미션을 받는다면?

만약 그런 은행이 있다면 당신은 당연히 친구나 아는 사람들에게 그 은행을 소개하고 싶어할 것이다. 어떻게 당신이 수표를 발행할 때마다 그리고 친구나 친척들이 수표를 발행할 때마다 당신에게 수표를 주는 그 놀라운 은행에 대해 이야기하지 않을 수 있겠는가!

이것은 당연하다.

콩알 반쪽도 나눠먹는 것이 인정이 아닌가.

서서히 가난해지는 것과 빨리 부자가 되는 것

이제 함정에서 벗어날 때가 되었다.

물론 대형매장과 할인매장은 큰 폭의 할인율을 자랑할지 모르지만, 보다 중요한 것은 얼마를 지불하느냐가 아니라 그 대가로 무엇을 얻느냐 하는 것이다.

그렇다면 돈을 벌 수 있는 기회를 제공하는 것보다 더 나은 대가가 어디 있단 말인가!

이제는 싸면 쌀수록 좋다는 소비자적 사고방식에서 벗어나야 한다. 싸다고 모두 좋은 것은 아니다. 싸면 쌀수록 단지 가난해지는 속도가 느려질 뿐이다. 하지만 현명한 구매를 하는 사람들은 빨리 부자가 될 수 있는 방법을 택한 것과 같다.

당신은 어느 쪽을 선택할 것인가? 서서히 가난해지는 것? 아니면 빨리 부자가 되는 것? 이것은 너무도 쉽고 간단한 문제이다.

당신이 현재 제품과 서비스를 사용하면서도 단 한 푼도 보상받고 있지 못하다면 스스로에게 이렇게 물어 보라.

"한번 해볼까?"

그 대답은 당신의 인생 자체를 바꿔 놓을 수도 있다.

제9장
E-직거래, 인터넷과 프로슈머

인터넷은 평등하다. 왜냐하면 누구든 인터넷에서 직접 사업할 수 있는 기회를 제공받기 때문이다. 그것이 바로 인터넷의 가장 큰 위력이다.

- 마이클 델(델 컴퓨터 창업주) -

가능하면 어떤 수를 써서라도 변화를 거부하려는 기존의 기업들과 달리, 직거래는 기술의 발달을 진심으로 환영하였고 항상 혁신과 변화를 반겼다. 왜냐하면 구전광고 개척자들은 처음부터 기술의 발전 없이 직거래가 성공할 수 없음을 잘 알고 있었기 때문이다.

특히 컴퓨터가 대량으로 보급되면서 구전광고를 활용하는 직거래 회사들은 급격하게 성장하는 네트웍의 진가를 확인하게 되었다. 더불어 장거리 요금이 인하되자 사람들은 다른 지방에 있는 사람이나 심지어 지구 반대편에 있는 사람들에게도 사업을 전달할 수 있게 된 것이다.

그리고 팩시밀리나 이동전화, 오디오, 비디오 등의 통신 기기 혁명은 보통 사람들이 고수익을 자랑하는 거대한 네트웍 망을 형성하는데 있어서 적극적인 힘이 되었다.

그리하여 혁신적이고 시간이 절약되는 신기술이 시장에 새로 선보일 때마다 직거래 사업자들은 그것을 적극 활용하였고 기술의 발전과 더불어 직접판매 산업 역시 급성장을 거듭한 것이다.

보다 강력한 수단, 인터넷

그러던 어느 날, 유사이래 가장 혁신적인 기술혁명이 갑자기 지구촌을 덮쳐 왔다.

그것은 바로 인터넷이다!

사실, 인터넷이 도입되던 초기만 하더라도 기존의 기업들은 인터넷을 어떻게 활용해야 하는지 알지 못했다. 왜냐하면 그 당시에는 너무나 비상식적이고 구조도 허술했으며 개방적이고 거대할 뿐만 아니라 무엇보다 규칙이 없었던 것이다.

그것을 해결하는 것은 기업들에게 던져진 숙제였다.

그리하여 인터넷의 속도와 범위를 어떻게 통제할 것인지, 인터넷을 통해 어떻게 사업을 보다 효율적으로 운영할 것인지 그리고 무엇보다 중요한 것은 어떻게 인터넷이 기존의 사업과 충돌하지 않도록 선을 그을 수 있을 것인지를 고심했던 것이다.

하지만 미래지향적인 직접판매 회사들은 곧바로 인터넷은 결코 두려워할 대상이 아니며 오히려 환영해야 한다는 것을 인식하게 되었다.

사실, 직접판매 회사는 그 때까지 팩시밀리와 이동전화를 사용하여 극적으로 성장할 수 있었던 것이다. 그런데 여기에다 인터넷을 활용하게 된다면! 그야말로 엄청난 시너지효과가 발휘되는 것이다. 직접판매회사가 인터넷에서 성장할 수 있는 잠재력은 생각만 해도 가슴 떨리고 충격적인 일이다.

빠르게 진화하는 직접판매회사

직접판매업계의 전문가인 버크 헤지스는 'e-직거래'라는 신조를 통해 직접판매와 전자상거래의 결합을 설명하고 있으며 또한 인터넷 상에서 일어나는 상거래의 미래를 이렇게 예측하고 있다.

"인터넷은 이 시대의 공통적인 화두이다. 가는 곳마다 인터넷을 말하고 전자상거래, 인터넷 뱅킹, e-메일 등 인터넷, 전자, 'e'자가 안 붙는 곳이 없다.

하지만 사이버의 자욱한 안개가 걷힌 후 당당히 살아남을 전자상거래의 참된 승리자는 인터넷이라는 새로운 온라인 방식으로 기존의 사업을 전환하는데 성공한 오프라인 회사들일 것이다.

그리고 기존의 오프라인 네트웍 망이 확고하게 구축된 직거래 회사야말로 모든 것이 클릭 하나로 이루어지는 인터넷 사이트로 사업을 전환하기에 가장 유리한 고지를 점하고 있다. 물론 직거래는 지난 50여년간 폭발적인 성장을 거듭해 왔다. 하지만 앞으로 'e-직거래'가 가져다줄 성장의 규모에 비한다면 그것은 아무것도 아니라고 할 수 있다.

이제 신문의 광고를 장식하게 되는 것은 아마존 닷컴처럼 적자를 면치 못하고 있는 대형 전자상거래 할인매장일지 모른다. 하지만 결국 돈을 벌게 되는 것은 e-직거래 회사들과 그 회사의 프로슈머 파트너들일 것이다."

나 역시 버크 헤지스의 의견에 동의한다. 어떤 새로운 산업도 마찬가지이지만, 특히 인터넷 업계는 향후 10년간 커다란 지각 변동이 일어날 것이다. 뛰어난 투자가인 워렌 버펫은 입버릇처럼 이렇게 말하고 있다.

"20세기 초, 자동차 산업이 처음 등장할 때만 해도 미국 내에는 3,000개의 자동차 제조업체가 있었다. 하지만 오늘날 미국의 자동차 제조업체는 단 3개밖에 없다. 그러면 나머지 회사들 즉, 2,997개의 자동차 회사는 어떻게 된 것일까? 그들은 다른 업체에 합병되었거나 이익을 남기지 못해 시장에서 퇴출되어 버렸다."

이러한 현상은 인터넷에서도 벌어질 것이며, 그것은 자동차 업계와 비교도 안 될 정도로 빠른 속도로 이루어질 것이다. 이제 곧 전망 있는 업체는 매수를 하고 적자를 보고 있는 업체는 문을 닫게 된다. 소수의 승자와 다수의 패자, 이것이 자본주의의 첫 번째 교훈인 것이다.

프로슈머 활동의 장점

내가 학생들에게 마케팅을 가르쳐 온지 어언 20여년이 지났지만, 그래도 어떤 전자상거래 회사가 성장하고 어떤 회사가 망할 것인지 예측할 능력은 없다. 하지만 다음의 조건을 충족시키지 못하면 전자상거래 회사들이 생존할 수 없다는 사실은 알고 있다.

첫째, 고객들이 그 회사를 다시 찾도록 해야 한다.

둘째, 이익을 내야 한다.

그리고 현재 이러한 조건을 충분히 충족하고 있는 회사가 바로 'e-직거래' 회사들이다. 그들에게는 프로슈머 파트너들이 그 회사를 다시 찾도록 하는 인센티브가 존재한다. 그리고 고객 겸 파트너가 더욱더 많은 상품을 이용할수록 받을 수 있는 할인의 폭도 증가한다. 또한 그들이 더욱더 많은 고객들에게 회사의 제품을 전달할수록 프로슈머에게 돌아가는 전달수당도 증가한다.

이것이 바로 프로슈머 활동의 첫 번째 장점이다.

프로슈머의 두 번째 장점은 브랜드에 대한 충성도이다. 대부분의 직거래 회사들은 회사의 파트너들을 통해서만 얻을 수 있는 상품을 제공하는 경우가 많다. 따라서 브랜드의 충성도가 강할 수밖에 없다.

예를 들어 우리 부모님은 지난 50년 동안 뷰익만을 선호하셨다. 그것은 뷰익이 가장 저렴한 자동차이기 때문도 아니다. 그렇다면 우리 부모님이 1,000달러 정도를 절약하기 위해 뷰익 대신 다른 자동차로 바꾸려 하실까? 그것도 아니다. 우리의 부모님은 뷰익을 매우 좋아하고 그 사실은 바뀌지 않을 것이다.

브랜드를 알리기 위한 기업들의 노력

한 연구결과에 의하면 사람들이 브랜드 제품을 구입하는 이유는 제품에 대한 신뢰도가 높고 구매결정을 보다 쉽게 할 수 있기 때문이라고 한다. 사실, 우리의 부모님들은 차를 바꿀 때 망설임 없이 뷰익의 매장으로 향한다.

그리고 어느 차를 사야 할지 고민하지도 않고 다른 차를 시험

주행하면서 시간을 소비하지도 않는다. 더불어 인터넷에서 보다 좋은 정보를 얻기 위해 피곤한 검색을 하지도 않고 가격을 비교하지도 않는다.

두 분은 매장으로 나가 전시장에 있는 신형모델을 보고 마음에 드는 모델과 색상을 선택한 후, 판매담당자와 계약을 하고는 한 시간 후에 새 차를 몰고 집으로 향하는 것이다.

이것은 얼마나 쉬운 일인가!

오늘날처럼 선택의 폭이 다양한 시대에 하나의 브랜드 제품을 선호함으로써 우리의 부모님은 시간을 절약하고 이런저런 신경을 쓰지도 않으며 확실하고 편안한 서비스를 제공받는 것이다.

바로 이러한 점 때문에 e-직거래 회사들은 인터넷에서 유리한 고지를 점하고 있는 것이다. 한번 직거래 회사의 제품과 서비스를 받아본 사람은 그것에 만족을 느끼고 또 찾게 된다. 왜냐하면 다른 곳에서 찾아볼 수 없는 독특한 상품과 편안하고 확실한 서비스를 받기 때문이다.

특히 요즘처럼 경쟁이 치열하고 할인율에 의해 판매량이 주도되는 세상에서 회사가 생존하려면 브랜드 충성도가 높아야 한다.

타이거 우즈가 프로 골퍼가 되자마자 나이키가 자사 로고가 달린 모자와 셔츠를 착용하는데 4천만 달러를 쏟아 부은 이유는 무엇일까? 당연히 브랜드를 널리 알리기 위해서이다. 그렇다면 이 돈은 과연 그 정도의 가치를 발휘했는가? 물론이다. 아니, 오히려 그 이상의 가치를 발휘하였다. 그렇기 때문에 나이키는 3년 후에 애초의 4천만 달러 짜리 계약서를 찢어버리고 타이거 우즈와 1억 달러에 재계약을 했던 것이다.

e-직거래에는 광고비가 없다

브랜드의 위력을 그 누구보다 잘 알고 있었던 e-직거래 회사들은 일반 기업과 달리 독특한 방식을 도입하고 있다. 즉, 단 한 명의 뛰어난 슈퍼스타에게 1억 달러의 광고료를 지불하는 대신 그 금액을 수수료라는 형태로 프로슈머 파트너들에게 제공하는 것이다.

다시 말해, 한 명의 슈퍼스타가 자신의 전달수당으로 1억 달러를 버는 대신, 1,000명의 보통 사람들이 자신들의 구전광고 조직을 구축하는 대가로 1년에 10만 달러씩 벌 수 있도록 분배한 것이다.

바로 이것이 e-직거래의 위력이다.

결국 매달 수 천 명의 고객들이 인터넷의 위력과 편리함을 이용하여 수 백 만 달러의 수수료를 나눠 받는 것이다.

당신은 어떻게 생각하는가?

당신은 고객들을 끌어들이기 위해 광고비에 수 백 만 달러를 투자하는 인터넷 할인점에서 물건을 구입하겠는가? 아니면 광고에는 돈 한 푼 쓰지 않고 그렇게 절약한 금액을 전달수당의 형태로 프로슈머 파트너에게 제공하는 e-직거래 회사의 제품을 이용하겠는가?

선택은 당신에게 달려 있다

당신은 다른 사람의 전자상거래 사이트에서 할인가로 물건을 구입함으로써 부를 소비하고 싶은가? 아니면 당신의 전자상거래 사이트에 있는 물건을 애용하여 부를 생산하고 싶은가?

앞에서 예를 들었던 벤츠 광고가 생각나는가?

"중요한 것은 가격이 아닙니다. 그 대가로 무엇을 얻느냐 하는 것이 중요합니다."

만약 당신이 e-직거래 회사의 파트너가 된다면 당신이 그 대가로 얻을 수 있는 것은 인터넷을 통한 부의 창출이다.

이것은 절대로 허황된 이야기가 아니다.

앞으로 10년간 수 천 명에 달하는 사람들이 e-직거래라는 방식으로 수 백 만 달러에 달하는 전달수당을 나눠 갖게 될 것이다.

아직도 의아하게 생각된다면 스스로에게 물어 보라.

"인터넷이나 할인매장에서 물건을 사면 그 대신 내가 얻는 것은 무엇일까?"

만약 여기에 대한 대답이 부정적이라면 즉, 단순하게 소비를 하는 대신 부를 창출할 기회를 얻고 싶다면 'e-직거래'가 해답을 알려줄 것이다.

한 가지 명확한 사실은 당신이 참여하든 참여치 않든 e-직거래는 향후 10년간 폭발적으로 성장할 것이라는 점이다. 그리고 수 천 명의 보통 사람들이 저렴한 구매보다 현명한 구매를 실천할 것이며 다른 사람들에게도 그 구매방식을 전달하고 수 백 만 달러에 달하는 전달수당을 받게 될 것이다.

재정적 독립을 달성하라

단순히 소비를 중단한다고 하여 빚을 해결하고 본인과 가족을 위해 지속적으로 부를 창출할 수 있을까? 절대로 그렇지 않다. 지속적으로 부를 창출하는 방법은 프로슈머로서의 삶을 시작하는 데 있다.

나는 강연을 나갈 때마다 부자가 되는 법을 알려달라고 부탁하는 사람들에게 이러한 이야기를 들려준다.

"미국 중서부의 한 작은 시의회가 시의 재정상태를 개선시키기 위해 유명한 경제학자를 초빙하였다. 그 경제학자는 두 시간에 걸쳐 어려운 전문용어와 이론을 섞어가며 거창하게 강연을 하였다. 물론 그 시의 주민들은 예의바르게 경청하긴 했지만, 경제학자의 말을 단 한 마디도 이해할 수가 없었다.

그리고 그 강연이 끝나자 한 농부가 일어나 청중 쪽을 향해 이렇게 말했다.

"여러분, 이 젊은이가 말하고자 하는 것은 여러분의 지출이 소득보다 많으면 여러분은 곧 망한다는 소리입니다."

그는 경제학자가 어려운 용어를 섞어가며 두 시간에 걸쳐 힘들게 말한 내용을 단 한 문장으로 요약했던 것이다.

비록 정규교육을 받지는 못했지만, 그 농부는 부의 창출이야말로 '이론적인 지식'보다 상식에 좌우된다는 것을 알고 있었던 것이다.

프로슈머는 극히 상식적인 개념이다. 즉, 저렴한 구매보다 현명한 구매를 통하여 캐쉬백을 받고 그 구매방식을 다른 사람에게 가르침으로써 전달수당을 버는 것이니 지극히 상식적인 것이 아닌가!

당신 자신에게 이렇게 물어 보라.

"나는 지출보다 소득이 많기를 원하는가?"

"나는 돈을 쓰면서 동시에 돈을 벌기를 원하는가?"

"나는 사람들이 일상생활에 필요로 하는 양질의 상품과 서비스를 추천하면서 전달수당을 벌고 싶은가?"

소비를 줄인다고 하여 부자가 되는 것은 아니다. 부자가 되려면 프로슈머가 되어야 한다! 지금 이 순간에도 전세계의 수 백만에 달하는 보통 사람들은 e-직거래를 통한 프로슈머로서 재정적 독립을 향해 전진하고 있다.

아마 당신에게 두 가지 질문이 더 필요할지도 모르겠다.

"나도 해볼까?"

"지금 해볼까?"

제10장 E-직거래는 부를 창출한다

인터넷은 전혀 새로운 사업이다. 왜냐하면 인터넷을 이용하여 거대한 산업을 새롭게 구축할 수 있기 때문이다.

- 섬머 레드스톤(비아컴 최고경영자) -

당신은 인터넷만 있으면 살아가는 데 별다른 지장을 받지 않을 수 있을 거라고 생각하는가? 혹시 인터넷을 통해서만 살아가는 삶을 상상해 본 적이 있는가?

실제로 닷컴가이는 이러한 삶에 도전을 하였다. 특히 오늘날에는 영화가 현실을 모방하는 것이 아니라 현실이 영화를 모방하는 상황이라는 점을 감안해 볼 때, 닷컴가이의 출현은 그다지 놀라운 것도 아니다.

그러면 지금부터 닷컴가이가 무엇을 하는지 살펴보자.

2000년 1월 1일, 닷컴가이(본명 : 미치 매덕스, 나이 : 26세, 직업 : 컴퓨터 시스템 매니저)는 미국 달라스 주에 있는 빈집으로 들어섰다. 그 당시 그가 갖고 있었던 것은 노트북 컴퓨터 한 대와 신용카드 한 뭉치가 전부였다.

닷컴가이는 앞으로 1년 동안 완전히 인터넷으로만 살아갈 예정이며 그 기간동안 식품, 가구, 의류 등 모든 생필품을 인터넷을 통해서만 구입할 것이다.

물론 닷컴가이는 자신을 방문하는 손님을 만날 수도 있지만, 그들이 방문을 할 때 어떠한 물품도 가져올 수는 없으며 본인 역시 마당 밖으로 나갈 수 없다.

그리고 닷컴가이를 후원하는 회사는 자사의 웹사이트에 대한 인지도를 높이기 위해 그의 생활을 24시간 생방송 하였기 때문에 그 집에는 수 십 대의 디지털 카메라가 곳곳에 설치되어 있었다.

그렇게 인터넷으로만 살아가기를 선택했던 미치 매덕스는 이렇게 말한다.

"우리의 비전은 새로운 인터넷 쇼핑 고객들이 우리의 사이트를 방문함으로써 전자상거래의 활용방법을 배우도록 하는 것입니다."

그가 처음으로 인터넷을 통해 구입한 물건은 샴푸, 화장지, 청소용품, 식료품 그리고 배달요리 등이었다.

사람이 인터넷만으로 살아가는 것이 가능한지 어떨지 처음으로 시도한 닷컴가이(주)의 렌 크리쳐 사장은 이렇게 말한다.

"물론 사람들에게 세상으로부터 격리되어 인터넷으로만 살아가라고 권하는 것은 아닙니다. 다만 이것이 가능하다는 사실을 증명하고 싶을 뿐입니다."

그렇다면 닷컴가이는 전자상거래로 발행하는 계산서를 지불하기 위해 어떻게 돈을 벌어들일까?

그의 후원회사에서는 첫째 달에 24달러를 지불하기로 하였다. 그리고 계속 집안에 머물러 있도록 하기 위한 인센티브로 매달 이 지불액수를 두 배로 늘려주기로 하였다.

물론 초기의 24달러는 그다지 큰 금액이 아니다. 하지만 한 가지 주목할 것은 그 24달러가 매달 기하급수적으로 증가한다는 사실이다. 그것을 한번 계산해 보면 닷컴가이가 결코 손해보는 장사를 하고 있지 않다는 것을 알게 될 것이다.

모든 길은 인터넷으로 통한다

인터넷 시대에 닷컴가이와 같은 존재의 출현은 피할 수 없는 현실이다. 왜냐하면 사람들은 세상의 이목을 집중시키기 위해 무엇이든 시도하기 때문이다. 특히 닷컴가이의 새로운 시도는 우리에게 두 가지 중요한 교훈을 시사한다.

첫째, 인터넷은 이제 우리의 삶이다.

물론 인터넷은 시간이 지날수록 더욱더 변화하고 성장할 것이다. 그리고 인터넷의 위력은 매우 강력하기 때문에 수 백 만 명의 사람들이 집 밖으로 나가지 않고도 얼마든지 인터넷을 통해 일하고 생활할 수 있다. 이것을 요기 베라의 표현을 빌려 말하자면 미래는 점점 빨리 다가오고 있다.

하지만 보다 사실적으로 말한다면 미래는 이미 우리 곁에 와 있다.

둘째, 우리는 모두 네티즌이다.

물론 정도의 차이는 있겠지만, 전세계는 이미 인터넷으로 연결되어 있으며 매일 수 천 명의 신규 가입자가 인터넷을 이용하고 있다. 그리고 당신이 아직까지 인터넷을 사용하지 않더라도 얼마 지나지 않아 그것을 사용하게 될 것이다.

특히 전문가들은 2010년가지 인터넷 사용인구가 10억 명에 달할 것이라 예측하고 있다. 다시 말해 세계인의 6명중에서 1명 꼴로 인터넷을 사용한다는 것이다.

세상은 점점 인터넷이라는 끈으로 하나가 되고 있는 셈이다.

닷컴가이가 프로슈머가 된다면?

닷컴가이는 1년 동안 온라인 삶을 살면서 대략 2만 달러 정도의 상품과 서비스를 구입했다고 한다. 그렇다면 그 닷컴가이가 2만 달러를 온라인 소비자로서가 아니라 온라인 프로슈머로서 사용하고 다른 사람들에게도 이 방식을 가르쳐 준다면 어떻게 될까?

결국 온라인 삶을 살면서 동시에 온라인 부를 창출하게 되는 것이 아닌가!

닷컴가이가 e-직거래 회사의 파트너가 된다면 그는 돈을 쓰면서 동시에 돈을 벌 수 있다. 단지 클릭 하나로 부자가 되는 것이다! 이것이야말로 e-직거래의 위력이며 인터넷 상의 프로슈머 활동이다.

당신 역시 온라인을 통해 자신이 취급하는 제품을 이용하면 당신과 당신의 가족을 위해 부를 창출할 수 있다. 하지만 매장이나 전자상거래 사이트에서 할인제품을 구입하면 당신의 재산을 줄어들게 된다.

로버트 스터버그는 『12가지 부의 비밀(12 Wealth Secrets)』이라는 그의 저서에서 "부자가 되는 열쇠는 본인의 지출습관을 재검토하는 데 있다"고 강조한다.

그리고 이 상식적인 충고는 프로슈머 삶의 실천이라 할 수 있다.

"당신은 하나 하나의 구매를 할 때마다 그것을 하나의 투자로 보아야 한다. 이러한 잣대로 자신의 지출을 판단한다면 저축과 소득이 증가하는데 커다란 기여를 할 수 있으며 결국 부를 축적하는 속도도 빨라지게 된다."

스터버그는 '돈을 투자하는데 사용하면 소득이 발생하고, 부채에 사용하면 지출이 발생한다'는 것을 강조하고 있는 것이다. 그리고 당신은 프로슈머 활동을 통해 스터버그의 충고를 실천에 옮길 수 있다.

일단 당신이 직거래 회사의 파트너가 되면 당신은 '하나 하나의 구매를 하나의 투자로 보는' 기회를 갖게 되는 것이다. 따라서 월마트 같은 할인매장에서 부채를 구입하기 위해 돈을 쓰는 대신, 직거래 회사의 파트너로서 자신의 상점에 투자하는 것이 좋다.

인터넷 상에 있는 나의 상점

당신이 현명하게도 인터넷 직거래 회사의 파트너가 되었다고 가정해 보자. 그러면 당신의 직거래는 곧바로 e-직거래로 변한다.

이때, 당신의 오프라인 직거래 사업을 나의 기업 즉 마이마트(My mart)라고 한다면 당신의 온라인 직거래 사업은 나의 인터넷 사업 즉, 마이마트 닷컴(My mart.com)이 된다.

그리고 마이마트 닷컴에서는 프로슈머 활동의 모든 장점과 전자상거래의 모든 장점을 동시에 누릴 수 있다.

그곳에는 닷컴가이와 마찬가지로 살아가기 위해 매달 필요로 하는 제품들이 있는데 샴푸, 화장지, 청소도구, 영양보조제, 식료품 등이 그것이다. 하지만 닷컴가이와 달리 당신은 이러한 제품을 당신 자신의 마이마트 닷컴에서 얻게 된다.

그리고 다른 사람들에게도 자신만의 마이마트 닷컴을 설립하도록 전달하고 그들이 다시 다른 사람들에게 그들만의 마이마트 닷컴을 설립하도록 전달하는 것을 도와주는 것으로 사업이 진행된다.

이러한 과정을 통해 당신은 전달수당을 받고 자신의 부를 생산할 뿐만 아니라 친구와 친지들이 자신의 부를 생산하도록 도와줄 수 있다.

클릭만으로 부를 움켜쥐어라!

승자와 패자

온라인 쇼핑은 소비자에게 두 가지 장점을 제공한다. 그것은 바로 편리함과 저렴함이다. 또한 온라인 쇼핑에는 두 가지 단점이 있다. 그것은 바로 편리함과 저렴함이다.

그런 말이 어디 있느냐고 반박하고 싶은가? 하지만 맞는 말이다. 편리함과 저렴함은 인터넷의 장점이자 곧 단점인 것이다.

자, 그러면 그 이유에 대해 알아보자.

이미 인터넷은 당신의 TV 그리고 이동전화와 연결되어 있고 앞으로 모든 가전제품과 통합될 것이다. 그리하여 당신이 냉장고 앞에 서면 냉장고가 이렇게 말하게 될 것이다.

"버터, 계란, 우유가 떨어졌습니다. 지금 주문할까요?"

또한 당신이 TV를 보다가 어떤 배우가 입은 옷이 마음에 들어 그 배우에게 클릭하면 스크린 상에 그 배우가 입고 있는 옷의 브랜드와 가격이 나타나게 될 것이다. 그리고 당신의 신체치수나 주소, 신용카드 정보는 이미 디지털 데이터베이스에 입력되어 있기 때문에 당신이 마음에 드는 색상만 선택하면 그 다음 날 제품이 집으로 배달된다.

그야말로 편리함 그 자체가 아닌가!

하지만 여기에는 한 가지 문제가 있다. 그것은 바로 너무 편리하다는 점이다. 따라서 인터넷을 통한 지출은 점점 더 쉬워질 것이고 결국 당신의 소비는 더욱더 증가할 것이다.

벤츠 광고에서 배웠던 교훈을 다시 한번 생각해 보자.

중요한 것은 가격이 아니다. 그 대가로 무엇을 얻느냐가 중요한 것이다. 배우의 옷을 클릭 하여 옷을 한 벌 샀다면 그 때, 당신이 얻는 대가는 무엇인가? 그것은 결국 가치가 소멸할 부채에 지나지 않는다. 당신이 냉장고 앞을 지나면서 계란과 버터, 우유를 주문할 수 있다면 그 대가로 얻는 것은 무엇일까? 그것은 먹는 순간 그 가치가 완전히 사라지는 소비재이지 않은가.

온라인 소비자는 보통 저렴한 가격에 편리한 방법으로 제품을 구매한다고 생각한다. 하지만 그 대가로 얻는 것은 과연 무엇인가? 그것은 줄어든 예금 잔고, 증가한 부채이다.

편리함과 저렴함이 단점이라고 말했던 이유를 이제 알겠는가?

전자상거래의 성장 과정을 바라보고 있노라면 스타트라는 신문연재 만화가 생각난다. 내 기억에 남아 있는 만화는 '백만장자가 되고 싶은 사람'이라는 인기 절정의 TV게임 프로를 비꼬는 내용이었다.

첫 번째 그림에서는 부부가 나란히 앉아 가상의 TV 게임 프로그램을 시청하고 있다. 그리고 그 게임의 진행자 멘트가 들려온다.

"시청자 여러분, 곧 이어질 '엄청난 빚쟁이가 되고 싶은 사람'을 기대하십시오."

그리고 중간 그림에서는 아내가 말하고 있다.

"새로 시작한 매우 현실적인 프로그램이에요."

마지막 그림은 중간 그림과 연결된 부부간의 대화이다.

아내 : "승자는 신용한도가 높고 이자율이 26%인 신용카드를 상품으로 받고…."

남편 : "이 프로그램 알고 있었어? 패자도 똑같은 상품을 받는다는군."

인터넷에서 상품을 구입하는 것 역시 이와 다르지 않다. 전자상거래의 승자와 패자는 모두 같은 상품을 받는 것이다. 그것은 곧 편리함과 저렴함이다.

결국 사람들이 소비자로서 돈을 쓰거나 프로슈머로서 돈을 버는 두 가지 중에서 어느 것을 선택하느냐에 따라 전자상거래는 행운이 될 수도 있고 불행이 될 수도 있는 것이다.

왜 프로슈머가 되어야 하는가?

신용카드 결제 시스템이 점점 발달하면서 요즘에는 웬만한 슈퍼에서도 신용카드 결제가 가능하며 그것은 지속적으로 확산되고 있다. 이제 곧 '현금 없는 사회'가 도래할 것이고 그 덕분에 소비는 매우 쉬워질 것이다.

왜 카지노에서는 돈을 플라스틱 칩으로 바꿔야 게임을 할 수 있는지 생각해 본 적이 있는가?

그것은 심리적으로 볼 때, 100달러 짜리 지폐 한 주먹보다 1,000달러 어치의 칩 한 주먹이 더 가치가 낮게 느껴지기 때문이다. 그렇기 때문에 지갑에서 100달러 지폐 한 장을 꺼내는 것보다 룰렛 테이블에서 칩 하나를 던져 놓는 것이 더 쉽다.

이것은 신용카드나 직불카드도 마찬가지이다. 카드는 플라스틱으로 이루어져 있기 때문에 심리적으로는 진짜 돈으로 생각되지 않는 것이다. 바로 이러한 점 때문에 사람들은 신용카드로 구매를 할 때, 더 낭비를 심하게 하는 편이다.

왜냐하면 신용카드 결제는 왠지 공짜로 물건을 구입하는 듯한 착각을 하도록 만들기 때문이다. 최소한 청구서가 도착할 때까지는 공짜이긴 하지만.

내가 여기서 말하고자 하는 요점은 인터넷 덕분에 앞으로는 물건을 구입하기가 더욱더 쉬워질 것이라는 점이다. 그렇기 때문에 사람들이 단순한 소비자가 아닌 프로슈머가 되는 것은 그 어느 때보다 중요하다.

우리는 앞으로도 인터넷을 이용하여 더욱더 많은 물건을 구입하게 될 것이다. 그것은 어쩔 수 없는 현실이다. 그리고 어차피 인터넷에서 돈을 써야 한다면 돈을 쓰면서 돈을 버는 e-직거래 회사의 파트너가 되는 것이 더 낫지 않을까?

할인매장에서 싸게 구매하는 것보다 현명한 온라인 구매를 활용하고 그것을 다른 사람들에게 전달함으로써 부를 창출하는 것이 더 낫지 않을까?

마이마트의 상품과 서비스를 이용하고 자신의 사업에 투자하는 것이 다른 기업의 소유주와 주주에게 돈을 벌어주는 것보다 더 낫지 않을까?

e-직거래에서 'e'가 의미하는 것은?

'e-직거래'라고 하는 말은 직거래와 전자상거래를 합성한 말로써 흔히 전자상거래를 'e-상거래(e-commerce)'라고 하며 이 경우 'e'는 전자(election)를 의미한다.

하지만 전자상거래와 직거래가 결합되어 탄생한 'e'는 전자만큼 강력하고 역동적인 또 다른 단어의 약자이다. 즉 기하급수(exponential)의 'e'인 것이다.

그러면 기하급수에 대한 보다 빠른 이해를 위해 닷컴가이의 사례로 돌아가 보자.

그가 한 달에 얼마를 받기로 했는지 기억나는가? 그는 첫 달에 24달러를 받고 매월 그 두 배씩 증가하기로 되어 있었다. 따라서 초기에는 최저생계비에도 못 미치는 금액으로 살아가야만 한다. 즉, 첫째 달에는 24달러, 둘째 달에는 48달러, 셋째 달에는 96달러 수준인 것이다.

하지만 시간이 지날수록 그 금액이 어떻게 변하는지 살펴보자.

7개월 째에 받는 돈은 1,536달러이고 8개월 째에는 3,072달러 그리고 9개월 째에는 6,144달러나 된다. 또한 10개월 째에는 12,288달러, 11개월 째에는 24,576달러이며 12개월 째에 받는 금액은 49,152달러나 된다. 그것이 바로 그가 인내한 대가로 한 달에 받는 금액이다.

이제 기하급수적이라는 말이 실감나는가?

기하급수적 성장의 위력은 시간이 지날수록 더욱더 강력한 힘을 발휘한다. 당신도 알다시피 닷컴가이가 초기에 얻을 수 있는 소득은 e-직거래와 마찬가지로 보잘 것 없었다. 하지만 장기적인 잠재적 소득은 엄청난 수준이었다!

물론 12개월이 되었다고 하여 닷컴가이의 일이 첫째 달에 했던 것과 달라진 것은 아니다. 그는 12개월 째에도 첫째 달과 같은 일을 하고 첫째 달에 비해 2,000배나 되는 소득을 올린 것이다. 그것은 바로 배가의 원칙 덕분이었다.

이것은 'e-직거래'도 마찬가지이다.

닷컴가이의 소득이 초기에 매우 적었던 것처럼 e-직거래에서도 초기의 수입은 보잘 것 없는 수준이다. 하지만 시간이 흐르면서 당신의 사업이 매일, 매달, 매년 기하급수적으로 성장함에 따라 초기와 같은 노력으로 막대한 소득을 발생시킬 수 있는 것이다.

당신이 한 달에 49,152달러를 벌어들인다고 생각해 보라.

그것이 불가능하다고 생각되는가? 그렇지 않다. 세계 곳곳에서 수 천 명의 사람들이 직거래를 통해 그러한 혹은 그 이상의 돈을 벌어들이고 있는 것이다.

하지만 그 정도의 돈을 벌어들이려면 단기적인 이익을 지양하고 장기적인 투자를 지향해야 한다. 그리고 이것은 현명한 구매를 통해 구전광고에 기반을 둔 거대조직을 구축하고 이것을 다른 사람들에게도 전달했을 때 가능해진다.

바로 그렇기 때문에 e-직거래의 'e'를 두고 전자와 기하급수의 의미를 모두 지닌 약자라고 하는 것이다. 그리고 또 다른 사람들은 'e'에서 흥분(excitement)의 의미를 찾는 경우도 있다. 왜냐하면 직거래의 파트너들은 매달 전달수당과 캐쉬백을 받으면서 가슴 벅찬 흥분을 느끼기 때문이다.

만약 당신이 전자(election)와 기하급수(exponential) 그리고 흥분(excitement)이라는 단어를 당신 삶의 일부로 만들고 싶다면 'e-직거래'의 세계를 연구하는 것이 좋다. 왜냐하면 세계적인 전문가들이 그것을 두고 '새천년 최고의 기회'라 부르기 때문이다.

결론
당신은 꿈을 실현할 수 있다

어떠한 환경, 어떠한 삶 속에서도 인간이 찾아야 할 의무와 이상이
있다. 그리고 얕은 환경에서 훌륭하게 자신을 키워 올려 가는 것이 바로 우리
가 자유를 얻는 길이다.

- 카알라일 -

지금부터 말하는 이야기는 실화이다.

수년 전, 어느 목사가 부인과 함께 테네시 주의 교외를 여행
하고 있었다. 한가롭게 거닐던 그들은 마침 저녁때가 되어 한
식당으로 들어갔는데, 그들의 뒤를 이어 어떤 남자가 들어서자
식당 안에 있던 모든 사람들이 그와 아는 체를 하였다.

그리고 그 남자는 테이블 사이를 오가며 모두에게 인사를 건
넸고 사람들은 모두들 그를 반기는 눈치였다. 어느 덧 그는 목
사 부부의 테이블까지 왔는데, 목사가 자신을 소개하자 자리에
앉아 놀라운 이야기를 들려주었다.

"어렸을 때, 저는 이 식당에서 그리 멀지 않은 곳에 살았습니
다. 특히 제 어머니는 미혼모였던 터라 저는 늘 조롱과 멸시의
대상이 될 수밖에 없었죠. 사람들은 어머니와 저를 몹시 거칠게
대하고 상대해 주려고 조차 하지 않았습니다.

저는 학교에서 늘 놀림감이었고 함께 놀아주는 친구가 없었기

때문에 점점 내성적이 되어 갔습니다. 그런데 제가 12살이 되던 해 이 마을에 목사님이 새로 부임하셨습니다. 사람들은 모두들 그 목사님을 칭찬하였고 설교가 너무나 뛰어나다고 말했습니다.

그래서 저는 호기심에 이끌려 매주 교회에 나갔고 그 뛰어난 설교를 듣곤 하였습니다. 하지만 교회에 늘 늦게 들어갔고 예배가 끝나기 전에 나왔습니다. 제가 교회에 가면 사람들이 수군거리는 소리가 들려왔고 표정들이 모두들 '어떻게 저런 애가 교회에 다 왔지?'하는 것 같았기 때문입니다.

그러던 어느 날, 그날 따라 설교말씀이 너무나 감동적이어서 미처 빨리 빠져나올 생각을 하지 못했습니다. 예배는 갑자기 끝나 버렸고 나는 사람들 틈을 비집고 나갈 엄두를 내지 못했습니다.

그런데 그 목사님이 갑자기 제 곁으로 오시더니 이렇게 말씀하시더군요.

"너는 누구의 아들이지?"

그 말을 듣자 누구 하나 숨소리도 내지 않았습니다. 사실, 마을 사람들은 평소에도 늘 내가 누구의 아들인지 몹시 궁금하게 여겼기 때문입니다. 예배당은 머리카락 떨어지는 소리까지 들릴 정도로 조용해졌습니다. 나는 너무나 당황해서 발끝만 내려다보고 있었죠. 숨소리조차 낼 수가 없었습니다.

그러자 목사님은 자신이 큰 실수를 했다는 것을 금방 알아채셨습니다. 그리고는 곧바로 커다란 미소를 띠고는 낭랑한 목소리로 이렇게 말씀하셨습니다.

"그래, 나는 네가 누구의 아들인지 알겠다. 꼭 빼 닮았구나.

넌 하나님의 아들이야. 하나님은 너를 무척 자랑스럽게 생각하실 거야."

목사님의 목소리는 그 조용한 예배당 구석구석까지 울려 퍼졌습니다.

그 이야기를 하던 남자의 목소리가 약간 떨렸다. 하지만 그는 깊이 숨을 들이쉬고 이야기를 마무리했다.

"그 날 이후로 나의 삶은 완전히 바뀌었습니다. 강한 자신감을 얻게 되었던 것이죠. 그리고 지금은 정계에서 어느 정도 성공을 거둔 상태입니다."

그리고 그 남자는 식당을 떠났다.

목사는 나중에 계산을 하며 식당주인에게 아까 그 남자가 누구인지 물어보았다.

"벤 월터 후퍼 씨를 모르십니까? 테네시 주의 전 주지사입니다."

이것은 긍정적인 사고방식의 힘을 보여주는 훌륭한 사례이다. 후퍼 전 주지사는 그의 사고방식을 바꿈으로써 인생을 바꾸게 되었다. 즉, '누구의 자식인지 모르므로 살 가치가 없다'는 생각에서 '하나님의 아들이니까 그 누구보다 부족하지 않다'는 자신감을 얻게 된 것이다. 그러한 극적인 사고의 전환이 마을의 외톨이를 한 주의 주지사로 탈바꿈시킨 것이다.

당신 자신에 대한 생각을 바꿔라

당신 역시 생각을 바꿈으로써 인생의 방향을 바꿀 수 있다.

나는 지금까지 이 책을 통해 '프로슈머'라는 놀라운 기회를 설명하였다. 그리고 나는 당신이 상품과 서비스를 구매하는데 있어서 일대 변화가 일어났으면 하고 바란다.

이 책을 쓴 목적은 가능한 한 많은 사람들이 소비자적 사고방식에서 벗어나 프로슈머적 사고방식으로 변화되도록 설득하는 데 있다. 당신은 아마도 지금까지의 내용을 통해 프로슈머 활동의 위력에 대해 충분히 깨달았을 것이다.

하지만 당신이 부를 창출하고 당신의 잠재력을 모두 개발하기 위해서는 또 하나의 사고 전환, 즉 커다란 변혁이 필요하다. 즉, 당신 자신에 대한 생각을 바꿔야 하는 것이다.

나는 전에 사람들이 변화를 거부하고 기회를 무시하는 이유는 '실패를 두려워하기 때문'이라고 생각하였다. 물론 많은 사람들이 그러한 이유로 변화를 회피하는 것도 사실이다.

하지만 내가 좀더 나이를 먹고 깨달은 것은 많은 사람들이 실패보다 성공을 두려워한다는 점이었다. 즉, 많은 사람들이 자신은 성공을 누릴 자격이 없다고 생각하여 성공을 회피하거나 심지어 성공을 파괴하는 것이다.

꿈을 디스카운트하지 말라!

앞에서 말했던 후퍼 소년과 마찬가지로 사람들은 자신에게 자격이 없다고 생각하는 경우가 많다. 즉, 사람들은 외부의 비판을 그대로 받아들이고 또한 다른 사람이 그어 놓은 한계를 무비판적으로 수용하는 것이다.

그 결과, 아무리 나이를 먹어도 내면은 발육부진 상태로 남아 있게 된다. 그리고 그 내면은 항상 당신이 뭔가 일을 하려 할 때마다 그럴 자격이 없다고 말하곤 한다.

발육부진 상태의 내면은 '당신은 태어날 때부터 자격이 부족하므로 야망도 절제해야 한다'고 말한다.

발육부진 상태의 내면은 '당신은 직원으로 고용될 자격은 있어도 고용주가 될 자격은 부족하다'고 말한다.

발육부진 상태의 내면은 '당신은 편안한 삶을 살 가치는 있어도 재정적으로 독립할 자격은 없다'고 말한다.

발육부진 상태의 내면은 '당신은 추종자가 될 수는 있어도 지도자가 될 자격은 없다'고 말한다.

발육부진 상태의 내면은 '당신은 65세에 은퇴할 수 있어도 45세에는 은퇴할 자격이 없다'고 말한다.

발육부진 상태의 내면은 '당신은 직장에서 일할 자격은 있어도 기회를 잡을 자격은 없다'고 말한다.

발육부진 상태의 내면은 '당신은 작은 꿈은 실현할 수 있을지언정 원대한 꿈은 실현할 자격이 없다'고 말한다.

이 말을 믿는가? 정말로 말도 안 된다!

당신의 꿈을 디스카운트하지 말라!

당신 자신을 헐값에 넘기지 말라!

당신에게는 성공할 자격이 있다. 당신에게는 재정적으로 독립할 자격이 있다. 당신에게는 지도자가 될 자격이 있다. 당신에게는 사업주가 될 자격이 있다. 당신에게는 원대한 꿈을 실현할 자격이 있다.

왜냐고? 그것은 바로 다음과 같은 이유 때문이다.

"그래, 나는 네가 누구의 아들인지 알겠다. 꼭 빼 닮았구나. 넌 하나님의 아들이야. 하나님은 너를 무척 자랑스럽게 생각하실 거야."

기회는 당신의 것이다

당신은 행운아이다. 그러니 이제는 '나는 성공할 자격이 없다'라고 생각하면서 망설이거나 기회를 뒷전으로 미루지 말라.

절대로 이 책의 메시지를 무시하지 말라!

지금 당신에게 주어진 이 기회는 현실이다. 그리고 그 기회는 인터넷과 같은 속도와 규모로 성장을 거듭하고 있다. 그것은 이미 수 천 명의 평범한 사람들이 자신의 생각을 바꾸고 e-직거래 사업을 구축함으로써 매달 그 노력에 대한 수수료를 벌고 있다는 사실이 증명하고 있다.

또한 그들은 태어나서 처음으로 성공과 재정적 독립이 다른 사람에게만 주어지는 운명이 아님을 깨닫고 있다. 성공은 현명하게 구매하고 다른 사람들에게도 그것을 전달하는데 시간을 들이는 사람이라면 누구나 이룰 수 있는 것이다.

이미 수 백 만 명의 사람들이 마음을 열고 자신의 지출습관과 생각을 바꾸었다. 그 결과, 그들은 성취감과 부 그리고 스스로 위대한 기회를 거머쥐었다는 것에 자부심을 느낀다.

가라!

당신도 당신 자신에게 자부심을 느끼도록 하라!

커다란 성공 기회를 잡아라!

당신에게는 충분히 그럴 자격이 있다. 지금 당장 e-직거래의 기회를 배우고 생각을 전환하라!

그리고 늘 잊지 말라! 당신의 삶에 어떤 일이 발생하더라도 당신은 신의 자녀이다.

신은 당신을 자랑스럽게 생각한다.